THE HARD MAN

The
Hard Man

A PLAY BY

TOM McGRATH
and
JIMMY BOYLE

EDINBURGH

CANONGATE

1977

CANONGATE PUBLISHING LTD
17 *Jeffrey Street, Edinburgh* EH1 1DR

First published Edinburgh 1977.

Hardback 0-903937-57-3
Paperback 0-903937-53-0

Printed in Great Britain
by LINDSAY & CO. LTD.,
17 *Blackfriars Street, Edinburgh.*

THE HARD MAN *was first performed at the Traverse Theatre Club, Edinburgh, on 19 May 1977, with the following cast:*

MARTIN BLACK	Slugger, Renfrew
MIKE CARTER	Deadeye, Archie, Kelley, Policeman, Clerk of Court, Mochan
IAN IRELAND	Big Danny, Policeman, Lewis the Lawyer, Commando, Paisley
PETER KELLY	Byrne
FRANCIS LOW	Lizzie, Carole, Woman's voice
ANN SCOTT-JONES	Maggie, Maw, Woman (who's with Archie), Barwoman, Didi
BENNY YOUNG	Bandit, Johnstone
RONNIE GOODMAN	Percussionist

Directed by PETER LICHTENFELS
Designed by BOB LAST
Lighting by ALASTAIR McARTHUR

ACT ONE

Lights come down. Darkness. Fragment of a song:

SONG   *Oh the River Clyde's a wonderful sight,*
      the name of it thrills me and fills me with pride.
      Oh I'm satisfied whate'er may betide,
      the Sweetest of Songs is the Song of the Clyde.

*Lights come up on The Windae-hingers—two women, LIZZIE and
MAGGIE, leaning out of their tenement house windows. They have
their elbows on the window-ledge and are having a conversation
across the street.*

LIZZIE   Hullo, Maggie.
MAGGIE   Hullo there, Lizzie.
LIZZIE   Maggie, where did your man come frae?
MAGGIE   Seymour Street. Ah hear its getting awfae bad up there. Ah
think we just moved oot in time.
LIZZIE   Yir no kiddin. Thir wus a man kilt up thair the other night. The
Spaniard. Did you know him?
MAGGIE   Oh aye. McTaggart the Mad Spaniard. Everybody knew him.
He wus a right bad loat. Ah might've known he'd come tae a sticky
end. Whit happened tae him enyway?
LIZZIE   He wus laying oan the street in Maryhill Road—just ootside
the HLI pub fur oors an' oors. We wur oan the buses, oan the
night-service, an' we saw him laying there up an' doon fur aboot four
journies. Even from the bus in the dark you could see the blood. They
say they put the knife in at the bottom of his stomach and ripped him
open.
MAGGIE   Did the polis no dae anythin aboot it?
LIZZIE   Naw. Thae jist let him lie thair. They wur glad tae be rid o him.
MAGGIE   And did they no get anyone fur it?
LIZZIE   They never dae in gang fights, dae they? Oh but see efterwards,
when they took the body away, we passed back doon oan the bus an

aw you could see wus the chalk marks and the blood. And the
Spaniard wusnae thair anymair ...

Lights down. Windae-hingers withdraw.

BYRNE, SLUGGER *and* BANDIT *rush on the stage in a state of alarm,
looking behind them. They are obviously being pursued.* BYRNE *is alert
but not afraid. They have stopped for a moment, breathless, looking
back.*

BANDIT   Oh my God! Oh ... my ... God!

BYRNE   *Annoyed* Whit's the matter wae yae?

BANDIT   Whit dae you think?

SLUGGER   Aye. Naebody sed enythin aboot fuckin murder ...

BYRNE   Ah didnae touch that mug.

BANDIT   No half yae didnae!

BYRNE   Listen, Bandit. You were in another room when it happened—
enjoying the party—you never saw nothing. Same goes fur you,
Slugger. You saw nothing neither. That mob will try tae put the finger
oan me fur it, but ah didnae touch him. Huv you goat me?

SLUGGER   Goat yae.

BANDIT   *More reluctantly* Goat yae.

BYRNE   *Smiling, extending his open palm* Right! Put it there, chinas!
We're aw in it thegither! *They both slap his outstretched palm with
their hands and say their line.*

BANDIT   *Slapping* We're aw in it thegither!

SLUGGER   *Slapping* We're aw in it thegither!

BYRNE   O.K. Lets scarper. Different directions.

SLUGGER   See you doon the boozer.

BYRNE   Aye, in aboot an oor's time. But go tae the other boozer, no the
usual wan. They'll be looking fur us there ...

Exit BANDIT *and* SLUGGER. *Light change.* BYRNE *steps forward, looking
around the audience.*

My name is Byrne. Johnnie Byrne. I was born in the Gorbals District of
Glasgow. You've read about me in the newspapers and heard about me
in pubs. I'm a lunatic. A right bad lot. What the Judge always calls, "A

8

menace to society". I'm speaking to you tonight from a Scottish prison where I am serving life-sentence for murder. What you are going to see is my life as I remember it. What you are going to hear is my version of the story.

SLUGGER *and* BANDIT *run on shouting.*

SLUGGER   Rats.
BANDIT   Chasin' rats.
SLUGGER   Chasin' rats roon the backs.
BANDIT   Chasin' rats roon the backs wae a wee dug . . .
SLUGGER   Chasin' rats roon the backs wae a wee dug that wus rerr ut brekkin their necks.
BANDIT   It even goat a mention in the papers that wee dug, because it kilt that many rats.
SLUGGER   Hiya, Johnny.
BYRNE   Hiya, Slugger. Hiya, Bandit. Back tae school again . . . *This line by way of explanation to audience.*
SLUGGER   School! School! Back tae school. Ah hate a Monday.
BANDIT   Ah hate the fuckin' school. School's rubbish!
SLUGGER   Aye, whit's it aw aboot anyway? Who wants to learn aw that shite they teach yae?
BYRNE   You're that stupit, yae couldnae learn anythin anyway, even if yae wahntit tae.
SLUGGER   Listen to who's talkin. The teacher says you're a dead cert fur truble. He's goat you marked doon fur the Borstal already.
BYRNE   Fuck 'im.
BANDIT   Fancy doggin' it?
SLUGGER   Aye. Fancy it? We could go doon the shoaps an' dae some knockin'. Fancy it, Johnny?
BYRNE   Och, I don't know. We did that yesterday—and the day before. Ah think we're just wastin' oor time. Bars a chocolate an' boatles o scoosh. Ah wis aboot sick yesterday wae the amount ah ate.
BANDIT   Well, you were the wan that insistit oan goin' back tae the shoap an daein' it agen.
BYRNE   That wis just because ah wus bored. There's no much fun tae it wance you've done it a few times. An' enyway, its no bars o choclate we need, its money!
SLUGGER   Back tae that agen.

BANDIT   You bet your life its back tae that. Money. Lolly. Cash. It aw
    comes back tae that sooner or later, doesn't it?
BYRNE   Aye, well you know how we were talkin aboot daein a few
    shoaps at night?
BOTH   Aye.
BYRNE   An' we were tryin tae figure oot how we wid dae the loaks?
BOTH   Aye.
BYRNE   Well, I've been thinking ...
BOTH   Miracles!
BYRNE   During the day, when they close up the shop for a coupla hours
    tae go hame an' huv a bit tae eat an' a wee snooze, maybe a pint doon
    ut the boozers ... they cannae be bothered pittin aw thae loaks
    oan ... its no worth it fur the shoart time thair oot ... and enyway,
    they know that thieves only wurk ut night ...
He smiles at them. They think about this.
    ... so ... if we go during the day ...
SLUGGER   Goat ye.
BANDIT   Ya beauty.
BYRNE   So whit ur we waitin fur? Cumoan.

To audience.

I can't tell you about my chromosomes or genetic structure and I can't
say anything about my Oedipus Complex or my Ego and my Id.
Battered babies grow up to be people who batter babies. But I got
nothing but affection when I was young—from my mother. My
father—sometimes we wouldn't see him for days on end then he'd come
home triumphant wae presents for everybody and half-bottle of whisky
in his back pocket.

One night he came home, lifted me up to the window, and said—"Look
down there, son. What do you see?" I saw a brand new, shining
motorcar. "It's all yours", he said. "Tomorrow we'll go fur a hurl in it."

The next day I got up and looked out of the window. But the car was
gone. And so was my father. And I never saw him again.

I remember my brothers and I at the funeral. There were four of us and
we were sitting round the coffin, giggling. We wouldn't have laughed if
we'd known what was coming.

SLUGGER *and* BANDIT *run on, pretending to be kids in the street teasing*
    BYRNE.

10

SLUGGER   Poorhoose! Poorhoose!
BANDIT   Look ut the Byrnes wae thir big broon suits an their tackety
   boots. Poorhoose! Poorhoose!
BYRNE   Him an' his brothers sleep four tae a bed!
BANDIT   Poorhoose! Poorhoose!
SLUGGER   *He and* BANDIT *are exiting as* MOTHER *enters.* Their mammy's
   a skivvy fur the West End toafs.
BOTH   *Exiting* Poorhoose! Poorhoose!

BYRNE *and his* MOTHER
BYRNE   Hey Maw. Gonnae lend me half a knicker?
MAY   How? Where are you goin?
BYRNE   Ah'm goin oot wae the boys.
MAW   Where ti? Ah hope you're no going galavantin aw o'er the place
   and gettin intae trouble an' hiven the polis up at this door?
BYRNE   Ah'm no goin anywhere. Ah just want the money fur
   the pictures.
MAW   Ah've no goat that much. Here's a dollar, that'll huv tae dae yi.
   Be in here sharp the night. Ah've tae get up at five the morn.
BYRNE   You know ah'm always in early, Maw.
MAW   Aye. That'll be right. Aw ah know is yir always bringin the polis
   tae the door and givin that auld nosey bastard across the road
   somethin' tae talk about.
BYRNE   Don't worry aboot hur, Maw. She's been gossipping oot hur
   windae so long she's left hur diddie-marks oan the windae sill.
Exit BYRNE
MAW   Right you. That's enough. Watch yir tongue. Mind and be in
   here early and nae fighting nor cerryin oan. *To audience.* Och, he
   wusnae a bad boy really. It wus the company he kept. Ah could never
   believe aw the bad things people said aboot him, no even after he went
   tae prison. He wus ma son and he wus never any boather tae me. Ah
   mean, whit chance did he huv? He went alang tae the youth club an
   him an his mates were barred the very first night. Troublemakers!
   They were the very wans that needed some help. When he was
   younger, he wantit tae be an altar boy. But he wusnae allowed because
   he didnae huv any sandshoes—and ah couldnae afford tae buy him
   any. It wus oanly the toaffs that could afford tae kneel oan God's
   altar. Of course, toaffs tae us wur the people that lived jist up the
   street. In those days the television wus a new thing and it wus a great

sign of wealth if yae hud a telly. We wur lucky if we hud enough tae keep us in food from day to day, nae wonder the boy turned tae thievin. He used tae come home wae presents fur me—things fur the hoose an' sometimes even a bit of money—and he'd pretend he'd worked fur thaim. Ah knew how he'd come by them and ah didnae like it and sometimes ah wid refuse his gifts. But maist o the time ah accepted—ah hud no option.

SLUGGER *and* BANDIT *run on to the stage.* MAW *exits behind them.*

SLUGGER   Nylons.
BANDIT   Bevvy.
SLUGGER   Trannies.
BANDIT   Dresses. We supplied the loat.
SLUGGER   The people couldnae afford tae buy things frae the shoaps—
BANDIT   It was a social service. *Pointing to himself* To our society at any rate. It aw depends which side o the fence yir oan, doesn't it? Presents fur Christmas, a boatle fur Ne'erday, the orders wur always placed wae us. And Johnny Byrne became a popular young man about the Gorbals—a contact much sought after.
SLUGGER   While we made a foartune. Well, no much o a fortune but enough to keep us going for a while. For, after all, we were growing boys . . .

Enter DEADEYE *and* BYRNE *from opposite sides of the stage. They walk straight into next scene which includes* BANDIT *and* SLUGGER. DEADEYE *speaks through his nose.*

DEADEYE   Hello there, Johnny. Hiya, boys.
BOYS   *Together* Hiya, Deadeye!
They do this greeting in style but DEADEYE *is intent on his business with* BYRNE. *He is a small man in his forties. He goes straight to the point.*
DEADEYE   Listen, Johnny, ah blagged some shirts there. Dae yae want tae buy any?
BYRNE   Let me see whit like they ur.
DEADEYE   Look at that. The best o' swag, Johnny, an' thair a real bargain so they urr.
BYRNE   How many huv yae goat?
DEADEYE   A gross. And ah'm puntin thaim cheap at a knicker each.

12

BYRNE   Och, cumon, Deadeye. Yir no trying tae punt thaim tae me at
   that price.
DEADEYE   Whit dae yae want? Dae yae want me tae throw thaim away?
   Ye'll no get shurts like that in the shoaps fur under a fiver.
BYRNE   Ah tell yae what, Deadeye. I'll give you half a knicker each fur
   thaim an' . . .
DEADEYE   Naw, naw . . .
BYRNE   . . . an' ah'll take the loat.
DEADEYE   The loat? A hale gross. You wid never get rid o them.
BYRNE   Let me worry aboot that. You take care o your end and ah'll
   take care of mine. Where ur the shurts? Doon ut the hoose? Right,
   Slugger, you go wae the wee yin an' pick up the rest o thaim. Ah'll
   settle up wae yae later, Deadeye.
Exit DEADEYE *and* SLUGGER. SLUGGER *gently persuading* DEADEYE *on his
way,* DEADEYE *a bit bemused by it all.*
   You take these doon tae Isaac the tailor and tell him he cun huv a
   groass o thaim ut Thirty Boab each.
BANDIT   Right-oh, Johnny.
Takes shirts and exits. BYRNE *left alone on stage.*
BYRNE   So we'd progressed. We'd started at the age of five, going
   round the doors collecting firewood and empty bottles, it was only a
   tiny step to stealing bars of chocolate, and a tiny step further to
   breaking locks and squeezing through windows. By this time I'd
   already done an Approved School stretch—for breaking into bubble
   gum machines, and I was beginning to get a sense of the way things are
   stacked. I cried my eyes out the night they took me away, pleaded with
   them and promised I would never do it again—it had only been a joke
   and I didn't feel I had done anything wrong but it was too late—

SLUGGER *and* BANDIT *have re-entered.*

SLUGGER   Alright, Byrne, stop dreaming. Strip. Wash. Scrub this in
   your hair, you little heap of vermin—grab hold of that bucket and
   SCRUB THAT FLOOR!
BYRNE   But I scrubbed it yesterday and the day before.
SLUGGER   Well, scrub it again.
BANDIT   And don't but me, sonny, you're going to have to learn!
SLUGGER   That floor has been scrubbed a thousand times by boys like
   you down the years, and it'll be scrubbed a thousand times more,

because, you know, its not the scrubbing that counts, not the sparkle
off the floor, no its the lesson you learn while you're scrubbing.
BANDIT   And do you know what that is, Byrne? Or dae yae want us tae tell
yae?
SLUGGER   Respect! Respect fur authority!
BANDIT   That's right. Respect fur authority. Authority. *Brandishes
cane* Authority.

They are circling him, threateningly. BANDIT *has a cane. He becomes
increasingly aroused.*

SLUGGER   Authority and Private Property. *Irish accent. Mimics priest.
Makes blessing in the air* Blessed be Private Property Now and
Forever Amen.
BANDIT   *Almost diabolic. Thrashing with the cane in rhythm to the
words.*
Whack Whack Whack
On Your Bare Backside.
Just to make sure
You Don't Try it Again.

Gives a final whack and stands back. Breathless. Wipes his brow.
SLUGGER *takes on a mock air of schoolteacher. Produces a tawse from
within his jacket and flexes it.* BYRNE *remains cowering back, his hands
up to protect himself.* SLUGGER *speaks straight to the audience.*

SLUGGER   Personally I prefer the tawse to the cane—flesh against flesh, it
seems more humane.

BYRNE *stands up slowly, with the bucket in his hand, carefully
considering* SLUGGER *who is giving the audience a demonstration of how
to use the tawse.* BYRNE *lifts the bucket and empties it over* SLUGGER'S
head. Slow blackout on SLUGGER *dancing in rage with bucket on his
head—*BYRNE *and* BANDIT *doubled up, laughing.*

Lights come back up on the Windae-hingers, MAGGIE *and* LIZZIE

MAGGIE   Howurr things, Lizzie?
LIZZIE   No bad. They could be better. Ma back's killin me an that
doctoar doon the street's nae use at aw.

14

MAGGIE   Aye. Ah've changed away frae him. No so much because o him but o that bitch that cleans his office. Just because she writes oot his prescriptions fur him, she thinks she's a nurse.

LIZZIE   Aye, she bloody annoys me so she does, the way she struts aboot that surgery like the Queen o Sheba an' hur wae hur hoose like a midden an thae weans o hurs in a terrible state. She ought tae be ashamed o hursel.

MAGGIE   She hud the cheek tae tap a shilling aff o me fur the meter an ah huvnae seen her since. Ah'll be needin it back by Friday tae—ah need every penny!

LIZZIE   Ah'm in the same boat. Ah've goat the man comin in tae empty the meter this afternoon because ah need the rebate. Ah've nae money tae get the tea in fur him comin hame fae work.

MAGGIE   Ah'm expecting that H.P. man. Ah canna pay him this week an ah owe him six weeks awready.

LIZZIE   If ah see him comin ah'll send wan o the weans up tae shout through the letter box.

MAGGIE   Aye and let me know when he goes away cos the old bastard always stauns wae his ear ti the door listenin fur me ...

They both withdraw. Enter BYRNE, SLUGGER *and* BANDIT. *Rock beat from percussionist.*

BANDIT   Johnny, the lads up in Shamrock Street wahnt us tae go o'er thair an' gie them haunders. There's a team comin doon frae the Calton tae dae them over.

BYRNE   We're a thievin gang. We're no a fightin gang like thaim.

BANDIT   But they're just the next street, Johnny.

SLUGGER   Aye, and if we don't dae it, they'll say we crapped it.

BYRNE *thinks it over.*

BYRNE   Is there weapons?

BANDIT   That Calton team will huv bayonets and chains, boatles—the lot.

BYRNE   We better arm oorsels tae then.

BANDIT   Ah've goat a blade stashed away in the hoose.

SLUGGER   Wait till yae see the chib ah've goat. You'll never believe it.

SLUGGER *and* BANDIT *stage a mock fight behind* BYRNE *as he speaks to audience. They have weapons and they stalk one another, leap on one another pretending to stab and hit.*

BYRNE   Blades. Hammers. A splinter of glass. Anything did—just so long as it made a mark. A new dimension had entered my life. A new reality had opened up for me. Violence. It was inevitable. Sometimes violence has a reason on the streets—its political, or religious, or a junkie killing for drugs—either a reason or an excuse. But in the world that I come from, violence is its own reason. Violence is an art form practised in and for itself. And you soon get to know your audience and what it is impresses them. You cut a man's face and somebody asks you, "How many stitches?" "Twenty" you say, and they look at you—"Twenty? Only twenty? Christ, you hardly marked him." The next time you cut a face you make a bit more certain it will be news.

He turns aside and doubles up holding his head. Rock beat. BANDIT *and* SLUGGER *attend to him.*

BYRNE   Ma heid! Ma heid! Ma fucking heid! The bastard kept hitting it wae a hammer.

BANDIT   Never mind, Johnny. You made a mess o him.

BYRNE   Ah wus so angry ah didnae know whit ah wus daein. He's no deid, is he?

BANDIT   He's no deid, but you just aboot gouged his eye oot wae that screwdriver you were carryin.

SLUGGER   They're aw saying yir crazy. They're sayin yir a lunatic. They're aw scairt tae fuck o yae.

BYRNE   *Straightens up and thinks this over. Smiles.*

BYRNE   That's whit thair sayin is it? That ah'm a lunatic? That's awright then, isn't it? Ah ahm a lunatic. Ah'll dae anythin! You'se hud aw better watch it!

They are afraid of him for a moment. He stretches out his palm as at beginning of play.

16

Fire Exit

Its just as well, eh? *Smiling*

BANDIT *Smiling* Aye!

They slap hands. BANDIT *and* JOHNNY, SLUGGER *and* JOHNNY.

SLUGGER *Slapping* We're aw in it thegither.

They are laughing. BANDIT *suddenly on the alert.*

BANDIT Hey, look. Here's Big Danny coming. Somebody said he hud a joab fur you, Johnny, doon at his shebeen.

SLUGGER Yir going places, Johnny.

LIZZIE *Looking out of her window* Johnny, you're a mug!

BYRNE *looks at her questioningly. Rock beat. Enter* BIG DANNY.

BANDIT *With a flourish* Big Danny!

SLUGGER Look at the suit! Get the material!

DANNY *is in his late forties. A flashy suit and tie, well-pleased with himself. Smoking a cigar.*

DANNY *To audience* They call me Big Danny and ah run a shebeen. Dae yae's all know what a shebeen is? Well, its like Prohibition but its no as big. In Glasgow, when these boys were still boys—before thae goat too big fur their boots—the pubs closed up at nine o'clock. Nine o'clock! Can you imagine it? So thir wur a loat o people wae drooths oan thaim aboot the town and it wus a simple matter, if yae wantit tae make some easy money, tae open up a wee place fur drinkin *efter* nine o'clock. And that's exactly whit ah did. Up a close in the Gorbals. A two room and kitchen. The place stacked wae bevvy. A shebeen! Ah wus in business—fur ma sell.

—Hullo there, boys. Howzit goin?

BYRNE No bad, Danny. How's things wae you?

DANNY Business is good, boys, but it could be better.

BANDIT Whit dyae mean, Danny?

DANNY *Examining the tip of his cigar* Can ah ask youse boys a question?

BYRNE Fire away.

DANNY How much ur youse makin in a week frae yir thievin?

BYRNE How much? I don't know, Danny. We don't really keep count.

DANNY Well, that's where youse ur makin a mistake because yae's should keep count. Let's face it, boys, none o youse ur ever gonnae work, ur yi?

B

BANDIT   Dead right we're no.

DANNY   Anyway, youse couldnae get a joab even if ye's wantit wan.

SLUGGER   Which we don't!

BYRNE   Ah hud a joab wance but it wus a waste o time, cooped up aw day wae somebody watching yir every move when yae could be oot oan the streets enjoyin yirsel . . .

DANNY   Aye. So whit else can ye dae but turn tae thievin. Yir hands are forced.

BANDIT   Nae option.

DANNY   A man's goat tae dae something tae keep himsel alive.

SLUGGER   An occupy his time . . .

DANNY   But wance ye've done that, yae've goat tae gie it some thoat. Wance a thief—always a thief. There's nae wae oot oh it. And yir maybe young now but youse'll soon be older.

BYRNE   Ah, come off it, Danny. Whit's aw this aboot?

SLUGGER   Aye, whit ur yae leading up tae, Danny?

DANNY   Oh, you'se ur clever boys alright. I can see that—except fur you, Byrne, everybudy knows you're a fuckin Hun.   *They all find this funny*   so ah'll gie it tae ye's straight—how would youse boys like tae wurk fur me?

BANDIT   Wid we no just.

SLUGGER   Right an aw.

BYRNE   You two shut up and leave this to me. That wid depend, Danny.

DANNY   Whit wid it depend oan?

BYRNE   A loat o things.

DANNY   Like what?

BYRNE   Like what wid we be daein and whit wid you be payin us fur a start?

DANNY   Fur a start? Dae yae mean yae've goat mair conditions? Whit age ur you, Byrne?

BYRNE   Fourteen.

DANNY   Sweet Jesus, only fourteen and look ut him. Wahntin tae figure oot aw the angles before he's properly begun. Look, aw ahm lookin fur is somebody tae hang aboot in the streets at night ootside the shebeen tae bring the customers tae ma door. If youse boys urnae interested, ah can aye try somebody else.

BYRNE   Naebody else wurks in the streets in this part of town, and you know it.

BANDIT   Naebudy else wid dare.

BYRNE   Awright, so whit wid ye be payin us?
DANNY   Ah'm no sayin right now—but ah'll sae this, frae the look o you
    bunch an' the rags yir wearin, it'll be mair than yir making noo.

JOHNNY *is annoyed by this. It looks for a moment as if there might be
trouble.*

An' there's no point in lookin ut me like that, Byrne. Ah'm gieing yae a
chance. Ah'm gieing yae a chance tae better yirsel. Because ah can see
ye've goat—talent. What's your answer?
BYRNE   We'll need tae discuss it.
DANNY   Awright, discuss it then. Is it gonnae take long?
BYRNE   Naw. Just gie us a few minutes...*Takes the others aside.*
    Listen . . . don't let him see you're too keen. we've goat tae get as much
    oot oh this as . . . *Conversation gets quieter as* DANNY *steps forward to
    talk to audience.*
DANNY   Lamentable, isn't it? There ah was—wan big fool leading three
    young nitwits further intae the hole that he's in. You know what
    finally happened tae me? Ah didnae dae any big prison stretches,
    though ah wus in an oot the Bar-L same as the rest o them, but ah wus
    too weak tae be really crooked an ah took tae the boattle. If yae saw
    me nooadays it wid be oan a street coarner, wae stubble oan ma chin
    an ma clothes gone shabby—a hasbeen and a wino, gone beyond all
    hope. Ah didnae last long as bigshot . . .

Returns to the boys.

. . . so. Hus the great cooncil come to its decision. Whit a huddle.
Youse ur wurse than the City fuckin Chambers.
BYRNE   We'll dae it—if the money's right.
DANNY   The money'll be right. Don't you worry about that. Comoan
    an ah'll get yies some chips tae celebrate.
SLUGGER   Tony the Tally wullnae let us in his chippy.
DANNY   He wull if ah tell him tae.
BANDIT   Good oan yae, Danny. Ah'll huv a fish supper.
SLUGGER   Ah wahnt a black puddin. Wae a pickled onion.
BYRNE   Could you get us in the pub, Danny?
DANNY   Johnny Byrne, now you're wae me, Big Danny, a loat o doors
    that previously were closed will suddenly magically be open tae yae.

BYRNE   Aye? That sounds fine.

Enter DANNY. *He has a glass of whisky.*

DANNY   Johnny, you an the boys huv been daein a loat o good wurk fur me.

BYRNE   Yae can say that again, Danny. When you took me oan ah didnae know ah'd be brekkin jaws fur yae.

DANNY   Well, in this game, Johnny, sometimes yae've goat tae be firm.

BYRNE   Aye, or get somebody else tae be firm fur ye.

DANNY   Whit ur you complainin aboot? Yir gettin paid well enough, urn't yae?

BYRNE   Aye. Fur the time being anyway.

DANNY   Naw. No just fur the time being. There's a bit mair action comin your way, Johnny. Ah wahnt tae make you ma right-hand man.

BYRNE   That's wise o you, Danny.

DANNY   Is that aw you've goat tae say. God, you're a close wee bugger. Two years yae've been workin fur me and you've always been so silent. But when you speak ah can feel the evil weighing down on your every word. Can ah trust yae, Johnny?

BYRNE   Whit's that yae've goat in yir hand, Danny?

DANNY   Bevvy. Whit does it look like?

BYRNE   Can yae trust the bevvy, Danny?

DANNY   You must be jokin. Ah see too much of it.

BYRNE   Well, if ye cannae trust yirsel wae the bevvy, yae cannae trust yirsel wae me. Because it's no me or the bevvy you should be worryin aboot, it's yirsel . . .

DANNY   Aw, don't you worry about me. Ah'll see masell alright alright. Listen, did yae see that yin that owes me the hunner?

BYRNE   Aye, ah saw him.

DANNY   Whit did he huv tae say fur himsel?

BYRNE   He says his wife's pregnant and he's nae money. He says it'll take him another month or two.

DANNY   Whit did you say?

BYRNE   Ah said ah'd be back tae see him in a day or two.

DANNY   Did he get the message?

BYRNE   Whit dae you think?

20

DANNY   Aye. That's because he knows ah don't mess around. If he
disnae come up wae the lolly . . . You get down and fix that fucker fur
me.

BYRNE   Don't worry, Danny. Ah'll gie him a face like the map o Glasca.

Percussion. Rock rhythm. ARCHIE *is rolling a cigarette.* WOMAN *is
offstage.*

WOMAN   Archie, are you no comin tae bed?

ARCHIE   Aye, ah'll be through in a minit, Jean. Just you go tae sleep.

WOMAN   Naw. Yae sat up aw last night, noo yir at it agen. An yae canny
stay away fae that windae. Whit's the matter wae yae? Ur ye in some
kind of trouble? Is there somebody efter yae?

ARCHIE   Naw, naw. Nuthin like that. Ah just cannae sleep these nights.
Ah don't know whit it is. It must be wae the baby coming. Maybe I'm
worrying.

WOMAN   I'd 've thought you'd be used to it by this time.

ARCHIE   *To audience.* When somebody's after you, you cannae sleep—
unless you sleep wae one eye open. Every noise you hear from the street,
could be the noise of him coming. Footsteps on the pavement. A car
draws up. The wind shakes and rattles at the window. Sometimes you
wish he could come, just tae get it over with, just to put an end to this
waiting.

WOMAN   Archie, are you coming tae bed or ur yae no?

Rock rhythms. DANNY *and* BYRNE.

DANNY   Noo that you've been upgraded, whit wid yae like?

BYRNE   *To audience* So there I was standing with the sole of my shoe
flapping, the buttons off my shirt and big holes all over my vest, and
he's asking me what wid ah like. A right good suit with right good
material, a brand spanking new white shirt and a tie to match. A pair
of handmade shoes that were sparkling with polish. I always wanted
to look like he does . . .

To DANNY.

I want a suit!

DANNY   A suit? Haw. Haw. I asked him what did he want and he said a
suit! Awright, Johnny boy. First thing the morn's morn, down tae Isaac
the Tailor . . .

They break and BYRNE *stands to attention. Enter* BANDIT *and* SLUGGER *carrying suit.*

WOMAN   *She stands screaming at him.* Monster! Sadistic bloody monster! You cut ma husband's face to shreds!

Drums. BYRNE *is kitted out in suit. Eventually he stands resplendent.*

LIZZIE   Yae never seen that fight last night, did yae?

MAGGIE   Naw. Ah didnae. But big Mary Boyce wus tellin me about it at the steamie this mornin.

LIZZIE   That Johnny Byrne half killed wan o those boys he wus fightin wae. Ah don't know how the poor soul managed tae pick hissel aff the ground the state he wis in.

MAGGIE   That's the thurd fight this week. It's time that Johnny Byrne grew up so it is.

LIZZIE   It's his maw ah feel sorry for. She works aw day fur those boys so she does. She must be heartbroken.

MAGGIE   He's gonnae end up in Barlinnie the way he's goin. It's time he goat himsel a lassie an thoat aboot settlin doon.

LIZZIE   Aye. Aw him an his pals dae is sit in that pub aw day long drinkin an swearin, an that gaffer o the pub's just as bad because he gies thaim drink fur nuthin.

MAGGIE   He's just goan fae bad tae worse since he got in tow wae that Big Danny.

LIZZIE   That wee niaff!

MAGGIE   Ah think yir right, Lizzie. A lassie wid be the makins o that boy. Sometimes ah think its the only hope he's goat left.

Enter SLUGGER *and* BANDIT. BANDIT *looking around him.*

BANDIT   Is Johnny no here yet? Its no like him tae be late.

SLUGGER   He'll be wae the burd.

BANDIT   Aye, probably. *Slightly derisive. Looks around him, taking in the audience.* Thair they go, Slugger, the honest workin people. Whit a bunch o mugs! They get up in the mornin and go oot tae wurk and get their miserable wages ut the end o the week tae help them pay fur their miserable wee hooses an' their miserable wee lives. Wance a year

they're released fur two weeks. The Glesca Fair! An' thae aw go daft!
Eejits! Two weeks later its back tae the grindstone again fur another
year.

SLUGGER   Either that or they cannae get a joab an' they go aboot in
fuckin poverty.

BANDIT   Well thank Christ that's no fur us. When we want something—
we take it. And it doesnae matter who it belangs tae.

SLUGGER   When we take it, it belangs tae us.

BANDIT   Aye and aw the toffs and intellectuals hate oor guts. Because
we're the wans that kick in thir doors an climb in thir windaes and run
oaf wae aw their nice new presies an their family hierlooms. An they
know we don't give a fuck. Efter we've done a place an left it in a mess,
ah'll bet they can still feel us in the air roon aboot thaim an they
wonder who we are. What we're like. Because its obvious we don't
give a fuck . . .

SLUGGER   Smash their shoap windaes in. Dynamite their safes. Chib
thaim in the street ut night an' run aff wae their money! Naw. They
don't like us. They don't like us at aw.

BANDIT   An thae cun stuff their fuckin probation officers up thur
fuckin arses. *Pause.* Here's Johnny coming. Aw naw, he's goat hur wae
him.

Enter JOHNNY *and* CAROLE. *Talking and laughing.* BANDIT *interrupts
them.*

BANDIT   Hey, Johnny, fancy guin doon the Railway Club the night fur
a bevvy?

CAROLE   I thought we were going out tonight.

BYRNE   Well, you can come alang wae us.

CAROLE   I thought we were going out by ourselves withoot thae two
eejits.
   Hits her.

BYRNE   Watchit, Carole. Ah've warned you before aboot cheekin me in
front o the boys.

CAROLE   That's aw you worry aboot, isn't it? Yir reputation! Aw ahm
good fur is cerryin yir chib an cop-watching fur yae.

BYRNE   Naw. That's no aw yir good fur.

CAROLE   Och, shut up you. You make me sick. Wan minit your aw
affection, the next yir like a bluddy animal. You shouldnae tell me
we're going oot if we're no.

SLUGGER   Oh, wid yae listen tae that. She'll be wahntin tae merry him next.

BYRNE   Right. Hurry up you if your comin.

CAROLE   Aw, piss off!

BYRNE   Cumoan, lads.

BANDIT   Aye, furget her, Johnny. Ah don't know whit yae see in hur.

BYRNE   Ah'm no asking you tae um ah?

BANDIT   Hey, fancy we'll go doon the Barrowland instead an pick up some burds.

SLUGGER   Nooky!

BYRNE   Aye, a fancy that. Haud oan. Hey, Carole, gie's ma chib.

CAROLE   Whit dae yae wahnt yir chib fur if yir just goin doon the Railway Club?

BYRNE   Never you mind. Just give us it an less o the questions. *She gives it to him* Right. Ah'll see you later. Right, lads. Doon the Barraland. If any o that Calton mob jump us, we'll be ready for them.

SLUGGER   An ah thoat we wur going doon fur some nooky . . .

BANDIT   *Triumphant* See yae later, Carole . . .

Exit BANDIT *and* SLUGGER. *But Byrne sits down behind* CAROLE, *with his back to her.* CAROLE *speaks to audience.*

CAROLE   Later. Later. That's aw ah ever hear. Aw ahm good fur is keeping his chib an cop-watching fur him. Everybody says ah need ma heid looked going aboot wae him. He's a dead cert road tae trouble, wan way or another. Ah'd like tae say that he was different when he wis wae me—quiet and gentle and affectionate like. But he's no. Ah suppose he must feel something for me—but if he does, he doesnae show it. Aw he's interestit in is his nookie then its doon tae the pub wae the boys.

BYRNE   Carole! Carole!

CAROLE   What's the matter?

BYRNE   Scratch ma back, Ah've goat a helluva itch.

CAROLE   Goad, yae never know the minit, dae yae? Whereaboots?

BYRNE   Just aboot there. That's it. Naw, a wee bit higher. Naw, lower. That's it. Oh, that's lovely . . . Rerr . . .

CAROLE   Here, leave me alane ya durty pig . . .

BYRNE   Stop it I like it . . .

24

CAROLE   Naw, really. Ah've goat soup oan an ah doant want it tae overheat. It loses aw the flavour.

BYRNE   Oh well, you go right ahead wae yir soup, hen. Don't let me stoap yae. Yae'll make somebody a good wife wan o these days.

CAROLE   Aye well maybe one day yae'll huv tae marry me!

BYRNE   Och don't talk stupid!

CAROLE   Ah'm no talking stupid. Did naebday ever tell you the facts o life?

BYRNE   Ah mean whut dae yae wahnt tae be married tae a character like me fur? Ma roads mapped oot fur me. Ah keep a chib over the door an a blade in ma bedroom. That's when ahm no oan the run or oot causin damage. Ah'm for the Bar-L. Its inevitable.

CAROLE   It doesnae need tae be inevitable, Johnny. Yae can change things, you know.

BYRNE   Aw, gie us a brekk, wullyae? What can ah change? Fuck all.

CAROLE   Well, maybe if yae were married an hud a family . . .

BYRNE   Ah'd huv tae feed thaem. Or you'd huv tae feed them's mair likely. Just like my ma hud four o us tae feed efter ma father died.

CAROLE   But Johnny, even if yae did dae a stretch, you could rely oan me. Ah widnae mess yae aboot.

BYRNE   That's whit yae say now, but it's a different story when it happens. Look ut Big Jean—her husband's daein four years. She managed tae keep hursel fur him fur a year and that wus that. She started shacking up wae somebody else. Wait till he gets oot.

CAROLE   Ur you comparin me tae that Big Jean?

BYRNE   Naw ah'm no comparin yae tae . . .

CAROLE   It sounds very much tae me as if yae ur . . .

BYRNE   Aw in the name o . . . You know something, Carole?

CAROLE   What?

BYRNE   Ah'd love a plate o soup.

Rock rhythms.

Enter SLUGGER, *speaks straight to audience.*

SLUGGER   Ah wus up in Duke Street buying masel a coupla flash shurts an there wus a gemme oan ut Parkheid. The Old Firm. Jesus Christ, whit a bunch o eejits—grown men throwin screwtaps at each uther frae wan side o the road tae the uther, an aw in the name o religion. Ah don't know whit that's supposed tae be aboot at aw. They wurk aw week then oan a Saturday thae go daft an split each other's heids open, then oan a Sunday thair oot tae twelve o'clock Mass un oan their knees. Sheer hypocrisy. *Enter* BANDIT.

BANDIT   Just so long as thair no taking money oot o oor pockets!

SLUGGER   Right an aw!

BYRNE   *Approaching them* Aye, but you'll let Danny take money oot o your pockets.

BANDIT   Whit dae yae mean? It's Danny thut pays us, in' it?

BYRNE   Is it? So far as ah can see, we pay oorsels—underpay oorsels. Danny might hand over the notes tae us ut the end o the week, but that's aw he does. You think aboot it, when we startet wae Danny, we wur just boys. That wus two years ago. An Danny wis just runnin the Shebeen. It wus easy wurk. Noo he's intae everythin—every racket that's going, he's goat his finger in the pie. An' its us he's using tae dae it. He's goat us breakin jaws fur him an' taking aw the risks, but we're no seein enough return fur it personally.

BANDIT   So whit yae sayin? We'll chin him fur mair money?

BYRNE   Aye. Something like that.

BANDIT   Supposing he says no.

BYRNE   Whether Big Danny says yes or no makes no difference anymore.

BANDIT   I'm beginning tae see whit yae mean.

Enter DANNY.

DANNY   Hello there, boys, howzit goin? Still enjoyin the good life?

BYRNE   Hello, Danny.

BANDIT   Hello.

SLUGGER   Hello.

DANNY   Hey, whit's this? Aw the hellos. Ur you boys claimin me?

BANDIT   Yir gettin awfa sensitive in yir old age, Danny.

DANNY   Less o the old . . .

BYRNE   Its just that me an' the boys huv been discussin money.

DANNY   Ah should ah guessed. Well, ah suppose youse ur entitled tae a rise wae the way things ur expandin . . .

BYRNE   We don't want a rise, Danny.

DANNY   Whit dae yae want then?

BYRNE   We're intae yae fur the loat. *Slashes him* We Rule, ya fool.
DANNY   O.K. . . .

Percussion. Pub lights up. DEADEYE *singing. Rock beat.* DEADEYE*'s voice is heard in the darkness.* LIGHTS *come up on the domestic area.* SLUGGER, BANDIT *and* JOHNNY *are seated, sharing a bottle of cheap wine with* DEADEYE. *Some of his swag is laying on the table.* DEADEYE *sings with his eyes closed, his arms outstretched. It is the Nat King Cole song "Too Young".*

DEADEYE   *Singing* And yet we're not too young to know . . .
   this love may last, though years may go . . .
   and then some day they may recall . . .
   we were not . . . too young . . . at all.

The boys laugh and cheer.

DEADEYE   *Encouraged* I know a millionaire, who's burdened down
   with care.
BYRNE   *Hastily interrupting him* Yir a good wee cunt, Deadeye, so yae
   urr.
DEADEYE   We're aw happy, int wi'? Ah mean we've aw earned a bit an'
   that's whit matters intit?
BYRNE   Mind any other swag yae get gie us a chance eh it first.
DEADEYE   Don't worry aboot that, Johnny. Ah know that if ah'm
   involved wae you an the mob, nae cunt's connae bump me fur ma
   money.
BANDIT   That's right, kiddo. An' you know none o us will bump yae.
DEADEYE   See that big bastard Sid doon ut the Bookies, he tried tae
   knock ma price doon ti fifteen bob by sayin' the material on the shirts
   wis shite. The big bastards worth a fortune as well.
BYRNE   Aye, he's a tight big bastard. Gie him nothin. He likes tae try
   and take liberties, an there's a loat o talk aboot him bein a grass.
BANDIT   Aye, that's right. He's supposed tae huv told the busies aboot
   wee Sniffer when he knocked him back fur some jewellery that he
   blagged.
BYRNE   Ah'll tell yae whit ah'll dae, Deadeye. Frae now on, don't bother
   dealing wae anybody else. Fae now on, any swag yi get gie me the

chance o it and yae can put the word roon aw the young yins that urr blaggin swag an tell thaim that ah'll get thaim a good price fur it.

DEADEYE   Nae bother. Ah'll dae that. There's been too many cunts oot tae bump me recently.

SLUGGER   *At a sign from* BYRNE *he is again bundling* DEADEYE *out.* Just get the swag sent doon here an' we'll attend tae it.

DEADEYE   Right . . . Aye . . . *Confused* Goodbye, Johnny.

BYRNE   Goodbye, Deadeye.

BANDIT   That's the right way, Johnny. Sew the whole district up. We can earn a right few quid if we get these guys in hand. They blag some ace gear.

SLUGGER *re-enters.*

SLUGGER   Auld cunt. Ah thoat he'd never stoap talkin. He wus wahntin tae sing me another song oan the doorstep. Ah telt him tae wander.

BYRNE   Right, Slugger, sit doon. Ah wahnt tae talk tae yaes seriously fur a change.

SLUGGER   Its aboot money. People only talk serious when they're talking aboot money.

BYRNE   Cut it oot, Slugger. Right. Now look. Since we took over frae Big Danny we've taken over his contacts. We're intae everythin. The Docks. The Brasses. Protection. We've goat the loat. An' that's aw right as far as it goes, but ah think we cun take it further.

BANDIT   Never satisfied!

BYRNE   Sure ahm no satisfied. Because ah've come to realise somethin more and more strongly these days. We're no ut the thievin any more, we're runnin a business.

SLUGGER   You don't say. We'll need tae turn the shebeen intae an office then an pit oor names up on the door—J. Slugger, Company Secretary. Knock Three Times—Heavily.

BANDIT   Yeah an' we could get ourselves a nice little secretary with nice little tits and a waggly bum . . .

BYRNE   *Laughing* Awright! Awright! Ya pair o eejits! Anyway, aw ahm leadin up tae the noo is tae say that ah wahnt us tae open a bank account.

SLUGGER   A bank account! Not on your Nellie! You'll huv us paying income tax next.

28

BYRNE   Naw. There's ways roon that. False credentials. You open an
account in an assumed name.
SLUGGER   Frank Costello.
BANDIT   Luciano!
SLUGGER   Jesse James!
BANDIT   Billy the Kid!
BYRNE   *Laughing* Fucking Genghis Khan! Ya pair o eejits. Right,
listen ...
BANDIT   Naw. Wait a minute, Johnny. Ah think we get the point.
That'll be aw fine and dandy tae huv a bank account and talk aboot
the businees an aw that but ...
BYRNE   *Annoyed and suspicious* But whit?
BANDIT   Well ... do you no think you're going a wee bit far these days?
BYRNE   What are you talking about?
BANDIT   You know what ah'm talking aboot. Them two yae done over
the other night wae a steakie, that's whit ahm fucking talking aboot an
you know it. Wan o these days you're gonnae end up killin somebody.
BYRNE   What are you talking about? Whit's aw this aboot killin people?
Huv you been drinkin?
BANDIT   You know fine well ah huvnae been drinking.
SLUGGER   An aw ah know is ah could be daein way wan right now.
Cumoan tae fuck. You two wid ergue the hindlegs aff a donkey.
BYRNE   Awright. Cumoan then. You'll need tae watch that drooth o
yours, Slugger. You'll be gettin a beer belly.
SLUGGER   Its better than a cut face, Johnny.
BYRNE   So's a loat o things. *Turns back to* BANDIT. Listen, Bandit, you
must be mistaken. Ah never done over those two eejits the other
night —ah don't use a steakie—did you furget that?
BANDIT   *Resigned* Anything you say, Johnny.
BYRNE   Right, cumoan then, pal. Doon tae the boozers.

Percussion. They cross stage to pub area.

BYRNE   Hiya, Carole.
CAROLE   Ah've been here a whole half hoor waiting fur you.
BYRNE   That's tough kid. Whit are yae drinkin?
SLUGGER   'Ah'm gettin thaim, Johnny.
BYRNE   That cunt Kelly wus supposed tae be here the night. Ah wunder
if he's gonnae show his face.

BANDIT   He's a month overdue us it is.

BYRNE   Ah think he'll come across wae the money awright but—ta, Slugger   SLUGGER *hands in drinks* . . . ah think we'll need tae gie him a nice receipt fur it when he does. Just a wee reminder that yae've got tae pay up promptly.

BANDIT   A receipt. Ha, ha. That's it. We'll give him a receipt!

CAROLE   Christ, an ah thoat we wur coumin here tae relax.

SLUGGER   We are relaxing, hen.

BANDIT   Oh, oh! Here he comes!

BYRNE   Oh. There he is. The very man ah wantit tae see. Ah wis hopin we might run intae ye.

KELLY   Aye, ah knew you'd be here. Ah heard yae wur lookin fur me. Ah've goat it here. Ah'm sorry its been so long in coming. But you know how it is.

BYRNE   Naw. Ah don't know how it is, Kelly. Tell me. You were supposed tae pay back a month ago.

KELLY   Ah loast it oan the betting, Johnny. Ah just didnae huv it tae gie ye, otherwise ah'd ah gied yae it wouldn't ah?

CAROLE   Fur fuck sake wid yae listen tae that?

BYRNE   You just keep yir mouth shut. *To* KELLY Right. Gie us it then.

KELLY   *Handing over envelope* There you are.

BYRNE   Count it, Bandit.

BANDIT   *A deft hand at running through the banknotes* Aye. Its aw here.

BYRNE   Right. Here's yir fucking receipt!

Sticks knife in KELLY'*s face.*

The Windae-hingers

LIZZIE   Hullo, Maggie. That wis an awfae cerry-oan last night, did yae see it?

MAGGIE   Naw ah wus oot ut the Bingo. Whit wis it?

LIZZIE   There wis dozens o' squad cars an' polis raided houses an' shoaps aw o'er the district and there wis blue murder.

MAGGIE   In the name o Goad whit wus goin oan?

LIZZIE   Cun yae no guess? They liftit aw that Byrne crowd in a wunner—including that whore Carole.

MAGGIE   Whit ur thae daein thaim fur?

30

LIZZIE   Well, that big beat polis—no that ah can stand him either—but he was telling Jack in the Dairy that thir arrestin' thaim furr everythin under the sun.
MAGGIE   Ah thoat they wir payin' the polis aff and that wis how they never went near thaim at aw.
LIZZIE   Aye. And so did everybody else. But they've done the loat o thaim.
MAGGIE   Well, hell mend thaim. That's aw ah cin say. Hell mend thaim!

Windae-hingers withdraw. Enter BANDIT, SLUGGER *and* BYRNE. *They head for the pub.*

BANDIT   *Laughing* That really sickened thae bastards, didn't it?
SLUGGER   Aye. They'll no dig us up in a hurry again.
BYRNE   Ah don't know aboot that. We'll huv tae watch thaim.
BANDIT   The heid busy said he was chargin' me wae everythin under the book, but ah told him ahm sayin fuck all tae ah see ma lawyer.
SLUGGER   Aye. But ah wis worried. Ah thoat they wur gonnae dae a bit o' gardenin an start plantin some gear oan us.
BANDIT   Aye. They're better at that gemme than Percy Thrower.
BYRNE   Its just as well wee Rollo the lawyer goat there in time tae stoap them otherwise we'd be lyin in Bar by noo.
BANDIT   They really hate wee Rollo as he's the flyest mouthpiece in the business and is wide furr aw their gemms.
SLUGGER   Did yae see their faces when they hud tae let us go? It wus fuckin magic.
BYRNE   Aye but they meant business. And ah think they still mean business—especially wae me. They three I.D. Parades they gave us hid me worried. Ah thoaght they were gonnae stick some snide witnesses oanti' them tae dig us oot.
BANDIT   Aye. And imagine thaim puttin Big Kelly oan it. As if he wid dig us oot.
SLUGGER   They're fuckin idiots so they urr. Ah mean Kelly knows he deserved it. Ah cannae understand they busies.

They have entered the pub.

BANDIT   How's aboot a wee bit o service then?
BARMAN   Hullo thair, boys. Ah heard the cops dugyaes up.

BYRNE Aye. You can say that again. Bastards! But lissen, seein' as things are a bit hoat furr us ah want yae tae keep these o'er the bar fur us.

Three of them start to unload weapons.

BARMAN Aye, sure, son. Just gie thaim tae me. Ah'll look efter thaim fur ye.

SLUGGER *Hauling out a meat clever* Noo ah don't wahnt you cuttin the heids affae pints, big yin!

BANDIT Right noo ah've been lyin in a rotten cell aw weekend so ah want ah good bath, a burd and a right bevvy!

SLUGGER Aye. An' we'll huv a right bevvy in here the night! *He mimics Elvis Presley.* Let's have a party . . . oh . . . oh . . . oh . . . let's have a party . . . ooh . . . ooh . . . ooh

BANDIT *Taking him up on it and dancing in front of him* Dancing to the Jailhouse Rock . . . Bap!

He throws out his arms and sticks out his leg on the 'bap'. At exactly the same moment two policement appear. SLUGGER *and* BANDIT *freeze on the spot.* JOHNNY *is drinking with his back to them.* SLUGGER *makes ineffectual attempts at speech—pointing at the police and opening and closing his mouth but saying nothing.* BANDIT *puts a hand on* JOHNNY's *shoulder.* JOHNNY *looks round and takes in the policemen. He stands up slowly. Rock rhythms begin. He faces the policemen, hands loose at his side. He walks towards them. They stand on either side of him. They walk out of pub.* BANDIT *and* SLUGGER *exit after them looking furtive and trying to hide. They exit in different directions as quickly as they can.*

The POLICE *leave* BYRNE *centre stage. He is handcuffed. He is standing to attention and expressionless. If possible, the next sequence should convey by lighting and flashes that* BYRNE *is having his photograph taken for police files. He is taken face on. Right profile. Left profile.* BANDIT *and* SLUGGER *look in on things furtively from either side of the stage. There is no joy in their chant.*

SLUGGER Rats!

BANDIT Rats aroon the backs!

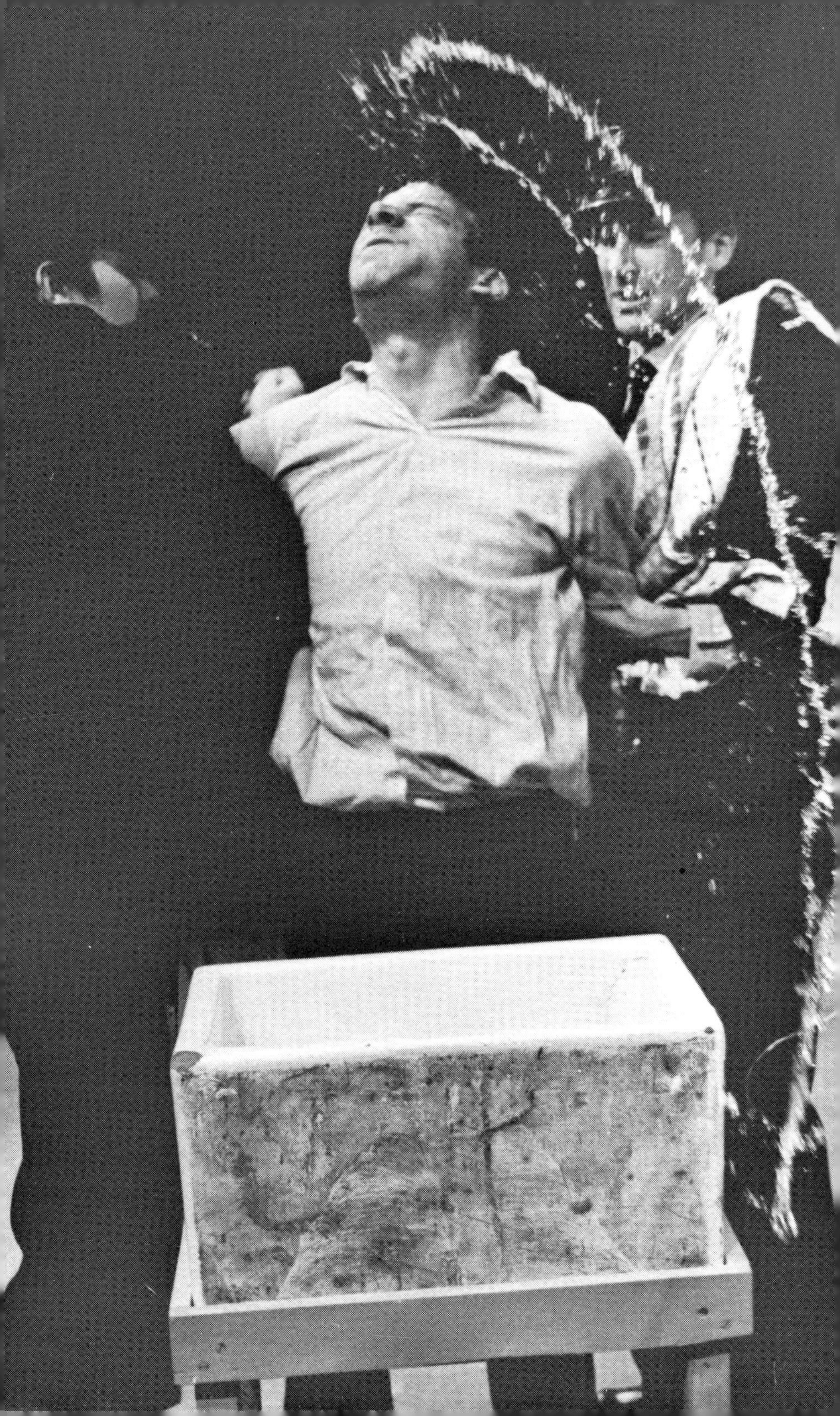

SLUGGER   Rats aroon the backs an a wee dug!
BANDIT   It wus a rerr wee dug that.
SLUGGER   It kilt that many rats it goat a medal fur it.
BANDIT   It even goat a menshun in the paper.

Enter CAROLE.

CAROLE   Aye, boys. We're aw in it thegither. *Sarcastic.*
BANDIT   You shut up, ya cow. We'll keep things goin fur him while he's inside, an we'll stull be here waitin when he comes oot. Whit aboot you?

All three exit.

BYRNE   *To audience.* There is so much that none of you can understand about me and the world I come from and there doesn't seem to be any way of telling it that will finally get you to see the bitterness and indifference I inherited from whatever the system was the series of historical priorities that created the world into which I was born.

I didn't think. I didn't think much about it. I didn't say—there's a system—and analyse it—I was never taught to do that. But I felt. I felt strongly.

There were the haves and the have-nots. I was one of the have-nots. There were the have-nots that worked and the have-nots that thieved, then there were the rest of you—living away out there somewhere in your posh districts in aw your ease and refinement—what a situation!

It made me laugh to see you teaching your religions and holding your democratic elections—and it made me sick with disgust. That was why I enjoyed the sight of blood because, without knowing it, it was your blood I was after.

My first prison sentence was like going to university. I made a lot of new friends and useful contacts and we talked and planned together for the future. It was a top-level conference fur the world I moved in, and fur me it lasted all of two years. Maybe you'd hoped it would teach me a lesson and ah wid 'mend ma ways' so to speak. Well, it did teach me a lesson o sorts. When ah goat oot o that prison ah was ready fur somethin new—something ah had learned tae call "crime". Organised crime.

C

POLICE *re-enter and march* BYRNE *off. Action moves to next scene—* BANDIT *and* SLUGGER *in the pub. Drinking pints.*

SLUGGER   It'll no be long tae Johnny gets oot o' Bar-L noo.
BANDIT   Aye. Ah'll be glad tae see him hame again. Mind'ye he wis lucky only gettin two years fur bladin two guys.
SLUGGER   Ur you kiddin? It wis a fuckin liberty. He hud nae form.
BANDIT   Whit dyae mean? He's done his remand home, approved school and his Borstal.
SLUGGER   Aye but he's never been in Bar before.
BANDIT   Bit it wus a wee sentence fur the High Court.
SLUGGER   The last time ah saw him he wus daein his nut aboot Carole. Somebody hud telt him she wis oot at the dancin and he's no pleased aboot it.
BANDIT   Ah wunder who could ah telt him that.
SLUGGER   Ah wunder. Its no as if he's goat a loat o visitors.
BANDIT   Ach, Carole. She's a cow. She's never away fae the Barrowland an' aw that mob in the Calton urr ridin' hurr.
SLUGGER   You better no let him hear that when he gets hame.
BANDIT   Ah'm gonnae tell him. Ah'm gonnae tell him she's a midden. She deserves aw thats comin tae her.
SLUGGER   It's no Carole ah'm thinking aboot, it's Johnny. It'll break his heart.
BANDIT   That yin doesnae huv a heart. He's an animal.

CAROLE *in domestic area, putting on her eye shadow. Enter* JOHNNY. *He stands staring at her. Silent.* CAROLE *is using a small mirror. She sees him in it.*

CAROLE   Johnny! *Flings down eyeshadow brush.* Naebody telt me yae were gettin oot!
BYRNE   Did thae no?
CAROLE   Oh, Johnny. It's great tae see you again.

She runs to him and puts her arms round him. JOHNNY *pulls them away again.*

CAROLE   Whit's wrang, Johnny. Lissen, don't believe whit that Bandit says. He's just jealous. Ah've been faithful tae yae. Ah huvnae been up tae enythin . . .

34

BYRNE   *Looks her up and down, taking in her clothes and her make up.*
Aye. It looks like it.

*He moves towards her raising his clenched fist. He is wearing a knuckle
duster.*

CAROLE   Naw, Johnny. No ma face!

Enter SLUGGER *and* BANDIT *dressed in trilbies. Long, dark double-
breasted coats.*

BANDIT   *To audience.* Mr Byrne is going places!
SLUGGER   He's in wae the Firm, the Big Boys noo. *Arms out imitating
   an aeroplane.* They fly him doon tae London. Thae meet him wae a
   limousine. The biggest villains in Britain.
BANDIT   And everything is very cordial. Everything is very English.
SLUGGER   Everything is layed oan—booze, gamblin, women—the loat!
   Nooadays oor Johnny wahnts fur nuthin!.
BANDIT   An whit does he dae fur it aw in return? Just a wee bit o
   business.
SLUGGER   Technical business!

Enter BYRNE *behind them with gun. He aims it around the audience, arm
outstretched. Then smiles, twirls it in his hand and puts it in his pocket.
Goes to* BANDIT *and* SLUGGER.

SLUGGER   You know your trouble. Yae never hud enough toys tae play
   wae when yae wur a wean.
BYRNE   Where's the fancy-dress party then?
BANDIT   Aye, dyae like the toags. We goat them aff wee Isaac the Tailor
   fur a laugh tae see yae aff at the airport.
BYRNE   Ah think the man ahm gonnae meet wid like thaim. Gie's a
   shoat. *Snatches hat from* SLUGGER*'s head.*

BYRNE *is moving his head from side to side jokily with the hat on. But the
   other two have caught his last remark.*

BANDIT   Who ur yae gonnae meet?

BYRNE   *Straightening out, hat on his head, gun in his hand to punctuate the words.* George Raft!

SLUGGER   Naw, cumoan, Johnny. Tell us. Who ur you gonnae meet?

BYRNE   *Taking hat off and replacing gun in pocket.* George Raft. Ah'm tellin yae. The Mafia.

BANDIT   Ur you serious?

BYRNE   Did yae ever know me tae tell a lie? The Mafia wahnt tae move in oan the gamblin club scene in this country an' Glasgow's wan o the target areas. They wahnt tae talk tae me because they wahnt tae keep the local boys happy wherever they go.

BANDIT   *Suspicious* That's awfae big o them, is it no?

BYRNE   Its because they know if they don't cut us in they'll never get a minute's peace!

SLUGGER   Too fuckin true they widnae. Scotland fur the Scoats. Heeuch!

Bandit has detached himself from the conversation. He is looking away from the other two.

BANDIT   Aye, well that'll be aw fine an hunky-dory then wulln't it—if it aw comes aff. But the business in Glesca will huv tae go oan notwithstanding. Jist as it hud tae when you were in prison. An tonight—oan the eve o your departure fur the Big Smoke—there's wan ur two small local matters outstanding thut only Mr Byrne cun attend tae in his own inimitable style.

SLUGGER   Hear aw the big wurds?

BYRNE   What ur you tawkin about?

BANDIT   Ah'm tawkin about those two eejits up in the Cowcaddens. They've been goin aroon extortin ut the pitch an toss pools fur months—oor pitch an toss pools—an you're lettin thaim get away wae it because they've been making a name fur themself o'er where they cum fae as a coupla real hard tickets!

Bandit looks at Byrne challengingly.

BYRNE   Ur you wahntin yir face smashed in, Bandit?

BANDIT   Aye. Yae cun smash ma face in if yae wahnt tae, Johnny, ah'm no disputin that—but it'll no get yae anywhere. Because you're

36

slippin. You've goat that fond o yir shooter an yir fancy new pals in London thut people ur sayin yir losin yir touch. Like you say, we're aw init thegither and ah'm just thinkin aboot yir reputation because there's a helluva loat depends oan it.

BYRNE   *Serious. Silent. Considers it all for a moment. Speaks at first as if chastened.* Aye, well maybe there's something in what you say— *Pause. Suddenly has* BANDIT *by the collar and is snarling in his face.* But ah don't like yir way o fuckin sayin it!

Holds BANDIT *by the throat for a moment then lets his hand fall and smiles, suddenly relaxed again.*

BYRNE   *Smiling.* Right. Where ur these eejits. Take me to thaim.

Twitchy rock thing from the drums. Billy Cobham. They produce different weapons and begin to lark about, stabbing and flailing at one another. SLUGGER *grabs* BANDIT*'s head under his arm and pretends to punch it with big elaborate gestures.*

SLUGGER   *Twisting* BANDIT*'s head about and smiling to audience.* He wouldn't give me his lollipop so I broke his left arm! He still wouldn't give me his lollipop so I broke his right arm! And when he continued with his obstinate refusal I broke his legs, his neck, his nose, his heid, smashed in his teeth, an made his mooth tae bleed an ah goat the fuckin lollipop so there!

BYRNE *is standing away from this smiling as if inspired. He has a knife in his hand. He says his words as if inspired by the knife and the general presence of violence like electricity in the air, (but not too inspired).*

BYRNE   So there! So there!

BANDIT *suddenly frees himself jumps up with a karate chop and howling all the way like in a Kung Fu film. From this* BANDIT *and* SLUGGER *go into a Karate routine.* BYRNE *starts singing vehemently.*

BYRNE   When somebody loves you Its no good unless he loves you *Lunging with knife* All . . . the . . . Way . . .

Suddenly they have all frozen. The drums have stopped. BYRNE *has dropped his knife. They are looking over their shoulders as if being pursued and in fact we are back at the beginning of the play when we first met the Boys. They have stopped for a moment, breathless, looking back.*

BANDIT   Oh my God! Oh . . . my . . . God!
BYRNE   *annoyed.* Whit's the matter wae yae?
BANDIT   Whit dae yae think?
SLUGGER   Aye. Naebody sed enythin aboot fuckin murder!

Domestic interior. JOHNNY *and the Big Brass.*

DIDI *sits with her legs up on the table, flexing one to help her fix the ladder in it with a brush of nail-polish.*

DIDI   Whit ah night ah've hid. Doon the Squerr. Wan efter another. Each wan mair pissed than the wan before. An it freezin. Ah hud oan this wee short skirt an ma arse wus like ice. Wan o ma regulars says tae me "Christ, Didi, yir tits ur blue!" *Thinks* He's no a bad soul that yin. He aye hus a wee drink fur yae. Ah'll say that fur him. Even if it does take him hoors sometimes just tae get it up. Aw its a hard life. Ah'm another social service. Creative leisure's ma department fur aw the poor bastards thur urnae gettin it elsewhere in the natural wey o things—an ah earn every penny that ah make, you take it from me. A hard life and a dangerous wan. Ma mate Big Elsie she ust tae go aboot in Glesca the same as me wae hur big boots an hur whip under hur belt fur aw the kinky wans. But she wus a junkie—that's the kind o thing this joab makes yae dae—if yir no a junkie yir an alcoholic or yir aff yir heid ur somethin—an she ust tae dae a bit o special business doon in London frae time tae time just tae relieve the monotony, aye, well she endit up in a bedsit in Notting Hill strangled wae hur ain nylons . . .

JOHNNY *shouts in to her.*

BYRNE   Didi! Didi!

DIDI   Who's that ut this time?

BYRNE   Its me. Johnny Byrne. Let me in quick.

DIDI   *Opening up.* Oh Goad, yae nivir know the minit, dae yae? BYRNE
comes in. Ur yae awright?

BYRNE   Aye ahm fine. Close the door.

DIDI   What's happened?

BYRNE *relaxes. Recovers composure. Smiles.*

BYRNE   Nothins happened. Ah've just come roon tae see yae. Huvn't ah
aye telt yae yir ma favrit Big Brass?

DIDI   Oh yae've telt me awright often enough but ah don't ever see yae
unless yir in trouble. Sit doon. Wid yae like a drap o wine?

BYRNE   Aye. That wid be rerr, Didi.

DIDI   *Extracting a bottle of Eldorado from her handbag and pouring it
into cups.* Where's Carole the night then?

BYRNE   Hingin tae mae lip!

DIDI   Aye ah widnae be surprised if she'd followed you here.

BYRNE   Ah very much doubt it.

DIDI   Johnny, whit's wrang wae yir hand? Yir bleedin. Christ, whit's
been happenin, yir soaked in blood! Oh my fuck un ah huvnae a
bandage nor an elastoplast in the whole place. Here, wait an ahll get a
towel!

BYRNE   Its awright, Didi.

DIDI   *She has towel.* Its no awright at aw!

BYRNE   Its no ma blood ... *She withdraws from him. He smiles.* Ah
huvnae goat a mark on me.

Straight into next scene, pub interior. BYRNE *rapping to* SLUGGER *and*
BANDIT

BYRNE   OK. Right. So while ah'm away ah'm relyin oan you two tae
keep things goin. There'll be a loat o money-lendin an protection tae
collect ut the end o the month, and you've goat tae make sure its paid
up promptly. Ah wahnt you tae cover the docks, Slugger, and Bandit,
you dae aw the far away places wae strange-soundin names. Oh aye an
wan o yae tell Big Wilson o'er in Partick tae screw the nut. He's still
feudin wae the Anderson mob. Tell him there's supposed tae be an

Amnesty. The Law ur bamboozled becos we're no aw fightin wan
another eny mair.

BANDIT   We can hardly tell him that now!

BYRNE   You know sometimes you really get on my nerves, Bandit.

BANDIT   Forget it, then. Sorry ah spoke. You an yir fuckin blood lust.
It makes yae say wan thing an do another. Whit aboot Grangemouth?

BYRNE   Whit aboot Grangemouth?

BANDIT   They sed thair wid be a consignment of whisky comin in if we
wur interestit we could huv it cheap.

BYRNE   Cheap enough tae make it worth oor while? How many boatles?

BANDIT   Mair than enough.

BYRNE   You'd better take a van.

SLUGGER   Aye. Yae cun hire wan frae Hertz.

BANDIT   Fuck Hertz. Ah'll nick wan doon the street.

Enter CAROLE *slowly. Her face is marked.*

SLUGGER   Look who it is!

BYRNE *and* BANDIT *turn and see her.*

CAROLE   Johnny, can ah speak tae yae oan yir ain?

BYRNE   Ah thoat ah telt yae tae fuck off. Ah'm no wahntin tae waste ma
time talkin tae you, ya whore.

CAROLE   But it's important, Johnny. It's urgent.

BYRNE   Right then. If its aw that urgent tell me it right here and now.
Then get tae fuck.

CAROLE   The Law ur lookin fur yae. Tae pick yae up.

BANDIT   Och, don't give us yir worries, Carole. We've goat the Law
paid aff fur miles aroon.

SLUGGER   It'll be Constable McWhirter lookin fur mair bribes.

CAROLE   It wusnae the usual polis, Johnny. They wur roon ut the hoose
askin questions.

BANDIT   *Mimics her.* It wusnae the usual polis, Johnny.

BYRNE   *To* BANDIT. You shut yir mouth. *To* CAROLE Whit did thae
wahnt?

CAROLE   Thae wahntit tae know if ah'd been ut that party in
Cowcaddens where the man was murdered.

BYRNE   Oh aye. And how did ma name get involved?

40

CAROLE   They thoat ah wus thair wae you.

BYRNE   An what did you say?

CAROLE   Ah sed ah hudnae seen yae and ah didnae no nothin about it.

BYRNE   Then whit did yae dae?

CAROLE   Ah came straight doon here tae warn you.

BANDIT   *Derisive.* Fur fuck's sake. Did yae leave a trail o breadcrumbs behind yae as yae came?

CAROLE   Johnny, they said they wur gonnae get you on this wan. They're determined.

BANDIT   Ah think you'd better catch that plane, Johnny.

BYRNE   *On his feet.* Right. Get in touch wae Rollo the Lawyer an' tell him he might be needit.

SLUGGER   *Exits.* Ah'll go an get the car.

CAROLE   Johnny, you wur up in Cowcaddens that night, wurn't yae?

BYRNE   Naw. Ah wusnae near the place, wus ah, Bandit?

BANDIT   Naw!

BYRNE   They're just tryin tae hustle me because thae don't like the money-lendin.

CAROLE   Johnny, ah'm worrit aboot yae.

BANDIT   Yir a bit late in the day fur that, ur yae no?

BYRNE   You wait outside, Bandit.

BANDIT   Awright, but hurry up. Remember they might be roon here enytime.

BANDIT *exits.*

BYRNE *takes* CAROLE*'s face in his hand.*

BYRNE   That's an awfu bad mark you've goat thair. Did somebody hit yae?

He kisses her.

BANDIT   Ur you two comin or ur yae's gonnae staun thair snoggin aw night?

BYRNE *alone on stage.*

BYRNE   Alright. You can look down your nose at my moneylending. But the fact was I was providing a social service. When the police finally got me they took away my address book with over three thousand addresses in it. They interviewed every person on that list but not one of them would give evidence against me. Not one of them. Because I'd been prepared to do business with them when you hadn't. While you were sitting back pretending not to notice, I had been there to care for their needs. Alright, my methods with defaulters were quick and to the point, but they weren't any different from your precious world—just a bit less hypocritical and undisguised.

Let's face it. The whole human world is a money-lending racket and if it takes a man's whole lifetime to kill him with his debts, that doesn't make it any the less an act of murder!

Explosion. SLUGGER *and* BANDIT *run across stage behind* BYRNE.

WOMAN'S VOICE   Leave us in peace! Hus there no been enough trouble already?

SLUGGER   You tell that man o yours tae keep his fuckin mouth shut or we'll be back.

Exit SLUGGER *and* BANDIT. *Enter Clerk of Court. Police come on and handcuff* BYRNE. *He stands, on trial.*

CLERK   *To audience.* My occupation is Clerk of Court. Three times I saw that man Byrne on trial for murder and twice I saw him get away with it. Witnesses disappeared. Testimony was withdrawn. Anyone who might speak against him was terrorised into silence and justice was thwarted.

On the third occasion, however, he was found Guilty: him and his cronies and his lawyer with him. It was third-time-lucky. When the Judge pronounced the sentence of life imprisonment for murder, I turned to the press benches, and the police, and even for a moment to the public gallery—and raised my thumb in triumph.

He has his thumb up and he presses it out victoriously on three sides of him.

The windows open and LIZZIE *and* MAGGIE *appear.* SLUGGER *and* BANDIT *come on the stage, putting on prison officer's uniform.*

42

LIZZIE   So Byrne's goat life imprisonment right enough.
MAGGIE   Aye and its good riddance tae bad rubbish. That's aw ah can say.
LIZZIE   Aye. There must huv been en evil streak in him somewhere. Its the likes o him get the Gorbals a bad name.
MAGGIE   Aye. *Pause.* Whit dyae think o that? The price o meat goin up agane?
LIZZIE   Oh aye. Is it no awful? Ma man says ah should make omelettes. Ah says tae him, cun yae show me how? An he did. He made the tea last night. Omelette an chips. He said he learnt it when he wus daein his national service.
MAGGIE   Aye. It's a pity that yin, Byrne, nivir hud any national service tae dae. That wid huv knocked the nonsense oot his heid.

SLUGGER *and* BANDIT *are now dressed in full prison officer uniform. They stand officially on either side of* BYRNE. *They have become the prison wardens.*

BYRNE   *To audience* I did not do the crime I was convicted for.

Drums. SLUGGER *and* BANDIT *march off the stage with* BYRNE. *The* CLERK OF COURT *follows behind—a little man, by the way—smiling to the audience. The Windae-hingers withdraw.*

SONG   The Sweetest of Songs is the Song of the Clyde.

End of ACT ONE

BYRNE *on bunk. Prison cell.* MOCHAN *in next cell listening.* BYRNE *direct to audience.*

BYRNE   When a man goes into prison, he's suddenly cut off. His old friends disappear, and his wife, his family—how can he possibly keep in touch wae them when he's locked away.

He hears that his son's getting into trouble, following in his father's footsteps, but he can do nothing about it. The walls prevent him. The thick walls of justice. Your justice.

Enter JOHNSTONE, *Prison Officer. Furtive*

JOHNSTONE   Byrne! Byrne! You're a faither. Your burds just hud a baby.

BYRNE   When?

JOHNSTONE   Last night. Its a girl.

BYRNE   A girl? Ur they awright?

JOHNSTONE   Aye, they're fine. There's somebody coming, I'll need to go. *Exits*

BYRNE   Naw. Don't go. Come back. Listen! Listen!
To audience So yir daein time. That's a good phrase for it. Daein time. Because that's whit yir daein awright. Time! Time with no distractions. Plenty of time tae consider the matter. Time tae burn. Time tae waste. Time tae kill.

One year. Two year. Three year. Four.

And if yir lucky you've goat a window you can see through, and if you're even luckier through that window you can see a tree, and you think about the day when you'll see the other side of that tree.

Beans. Sweat. Urine. Insomnia.

Tries to catch a fly

Poor me. Poor fly. Sharing a cell.

Five year. Six year. Seven year. More.

Thick. Thick. Walls of justice.

Thick. Thick. Heads of justice.

Thick. Thick. Assholes of justice.

Thick. Thick. Whores of justice.

—who do you think you are locking me up in here and telling me it's for life? Telling me I deserve it? My life. Fullstop. Thank you very much. I'm so grateful to you for giving me what I deserve. It must be nice to be in the right because it's shitty to be in the wrong.

JOHNSTONE   Your lawyer's here for you, Byrne.

BYRNE *turns as Lewis, lawyer, enters.*

LEWIS   Sorry I couldnae get here sooner, Johnny. How are you?

BYRNE   In a wee bit o a hurry tae get oot o here.

LEWIS   They've put you in solitary.

BYRNE   Aye well there's a fly up in the corner up there. He an me huv been huving a wee bit o a blether. How's Carole?

LEWIS   She's fine, Johnny. She's at home with her mother.

BYRNE   That old bag. Tell hur no tae be giein the wean any o her cheap biddy.

LEWIS   Does she drink?

BYRNE   The old woman? Christ, she'd drink the Clyde dry if it wis full o whisky.

LEWIS   You don't need to worry about the baby. Carole will look after her alright. You can trust her.

BYRNE   Trust her nothing. Lewis, ah wahnt out o here and fast. Ah lay doon oan ma bunk last night and a thoat, fifteen years. Fifteen fuckin years. That old swine ae a judge an' the police lieing their mooths aff. How long wull it take fur the Appeal tae come through?

LEWIS   Johnny, I wouldnae pin any hopes on an appeal. They were out tae get you. One way or another. The walls of that court would have had to fall down before you'd have walked out of there a free man.

JOHNNY *is silent.*

I don't suppose you'll have seen your press.

BYRNE   *Reading* "I was a victim of The Gentle Terror!" Whit's aw this about?

LEWIS   Did you no know? That's the name you go under in the Glasgow underworld. Read further down.

BYRNE   "Father of four William Brown told of the night he was threatened by . . . John Byrne, better known as The Gentle Terror, who said that if he didn't pay his debt, he would cut off his ears!" Jesus Christ! These people have got wonderful imaginations!

LEWIS   You're good copy, Johnny. There's no a good word to say about yae.

BYRNE   And will that affect the appeal?

LEWIS   Well, it shoudnae but it gives you an indication. They're gloating, Johnny. And now they've got you, they're no gonnae let you go without a struggle. The best you can hope for is a bit of remission and parole from time to time—if you keep your nose clean. And your hands to yourself. I know it won't be easy but I would be misleading you if I told you otherwise.

BYRNE *silent, thinking*

BYRNE   Why did they put me in solitary, Lewis?

LEWIS   Because of your reputation, Johnny. You're a dangerous man.

Pause. BYRNE *thinks again before he speaks.*

BYRNE   Aye. Well, ah'm no gonnae stop being dangerous, just because ah'm in here. If thae think ahm gonnae crawl fur a bit o parole, they've goat another think comin.

LEWIS   A few years ago they would have hanged you.

BYRNE   They're gonnae wish they hud.

Enter MOCHAN, *sweeping the stage*

MOCHAN   Hello there. Ma name's Michael Mochan. Ah've goat a story too. But youse'll no be wantin tae be bothert wae that. Ah mean, ah'm just an old lag, who wahnts tae know whit ah think? Ah dae keep ma nose clean *wipes it* so ah get wee joabs tae dae an ah get aboot mair

than the rest o thaim. An that way ah get tae hear a loat an' see a loat,
an usually ah keep my mooth shut aboot it, but wae the things that
happened tae that man, Byrne, well, the time came when ah knew ah
couldnae just sit back and watch any loanger, ah wis gonnae huv tae
say whit ah hud seen, whatever it cost me . . . No that it made much
difference.

Pause. Thinks   Ach, but that aw comes later when ah goat tae know
him. So ah'll talk tae yaes later oan—if that's awright. Ah jist thoat
ah'd say hello an introduce masel.

Exits

BYRNE *and* CAROLE *and* JOHNSTONE

BYRNE   Where's the wean?
CAROLE   Ah left hur wae ma muther.
BYRNE   Yae whit? Ur ye aff yir heid?
CAROLE   Ah knew yae'd wahnt tae see hur but ah wus feart she catch the
  cauld.

BYRNE *is exasperated. He looks at* JOHNSTONE *who is standing by.*

BYRNE   Can you no wait ootside fur a while?
JOHNSTONE   Sorry Johnny. Ah've goat ma orders.
BYRNE   Aye, awright. Yir no a bad cunt, Johnstone. Ah wish there were
  mair like you in this shithoose. *To* CAROLE It wus him telt me aboot
  the wean. Otherwise ah'd never huv known. That's the way they treat
  you in this fuckin place. Huv yae seen Danny?
CAROLE   He's lying low.
BYRNE   Ah'll bet he is, the old bastard. The rest o us inside an' he goes
  Scotfree. Typical. Ah'll bet he's drinking himsel paralytic. Old swine.
CAROLE   Thae wur aw tawkin aboot you in the hoaspital.
BYRNE   Wur they?
CAROLE   Aye. Aw the women. Lying thair feeding thair weans an you
  wur the main topic o conversation. You should ah heard the things thae
  wur sayin.
BYRNE   Ah've seen the papers.
CAROLE   It wus worse than the papers. Wan wife sed yae impaled
  somebody on the spike o a railin, another wan said yae tortured a man

by nailing his feet tae the floor. An thir wus this big fat bitch thair, it
was hur eigth, and she sed you wur a hired gun doon in London.

BYRNE   An whit did you say?

CAROLE   Ah never said anythin. Ah kept ma mooth shut.

BYRNE   Ur yae ashamed o me then?

CAROLE   Well, whit dae yae expect me tae dae, haud the wean up an tell
them you loat just watch whit yir sayin Byrne's this wean's father.

BYRNE   Well you might've stoaped them tellin lies aboot me at least.

CAROLE   How dae ah know if its lies. Ah don't know how many people
you've kilt, dae ah?

BYRNE   Well ah'll tell yae. Ah've never kilt anybody in ma fuckin life—
and don't you furget it.   CAROLE *Looking away. Then to* JOHNSTONE—
Can ah gie him a cigarette? JOHNSTONE *nods assent. She produces
cigarettes from her bra.*

BYRNE   Whit ur yae daein?

CAROLE   Thae take everythin aff yae doon thair. *Lights cigarette for
him. One for herself*
That yin Halliday's cerryin oan like a big shoat noo that you're inside.

BYRNE   Whit's he daein?

CAROLE   He wus in the pub last night an he smashed the gantry.

BYRNE   Eeejit!

CAROLE   Tommy the barman says thair aw fighting like cats an doags
because you're no thair tae keep the peace.

BYRNE   Aye well you tell Tommy ah'll see tae thaim soon enough.

CAROLE   How come?

BYRNE   Because ah'm getting out o here, that's how come.

CAROLE   Naebday telt me aboot it. When ur yae getting out?

BYRNE   Ah'll no bother, if that's how you feel aboot it. Ah'll just stay
here.

CAROLE   Och don't talk stupit!

BYRNE   Whit's the matter wae you? Huv yae goat yirsel a new man
awready?

CAROLE   Look ah huvnae goat time tae look fur fellas, ah'm too busy
lookin efter your fuckin wean.

BYRNE *raises his arm.* JOHNSTONE *moves to restrain him.*

BYRNE   Aw, don't worry, Johnstone, old boy. She's no worth it. Ur yae
married yirsel?

48

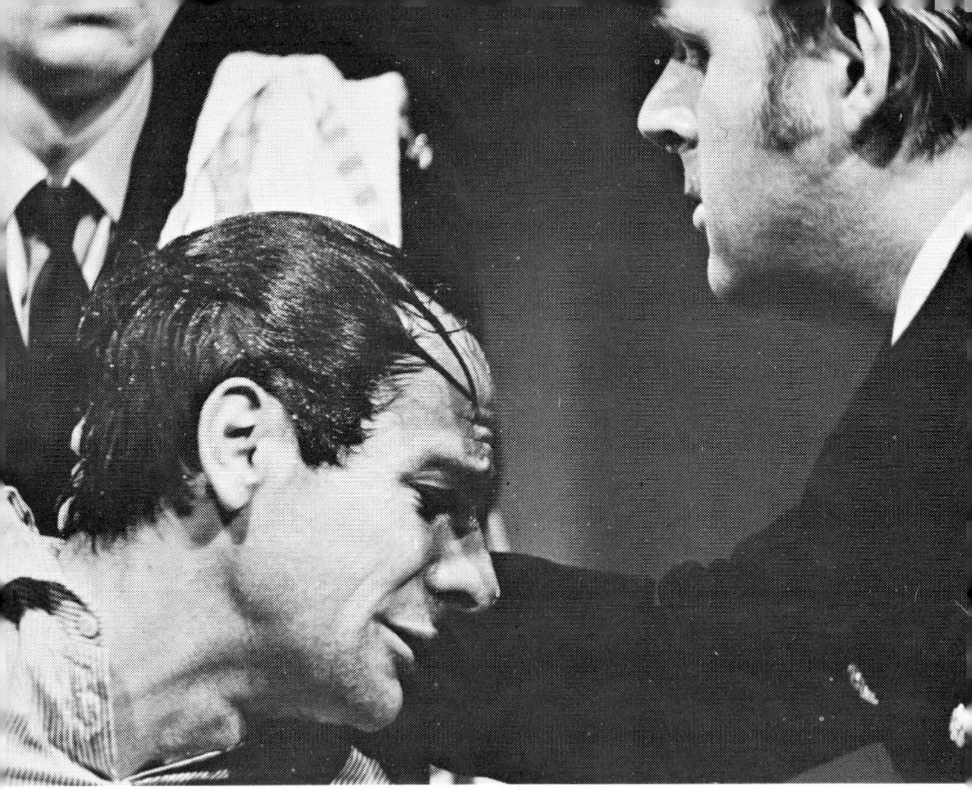

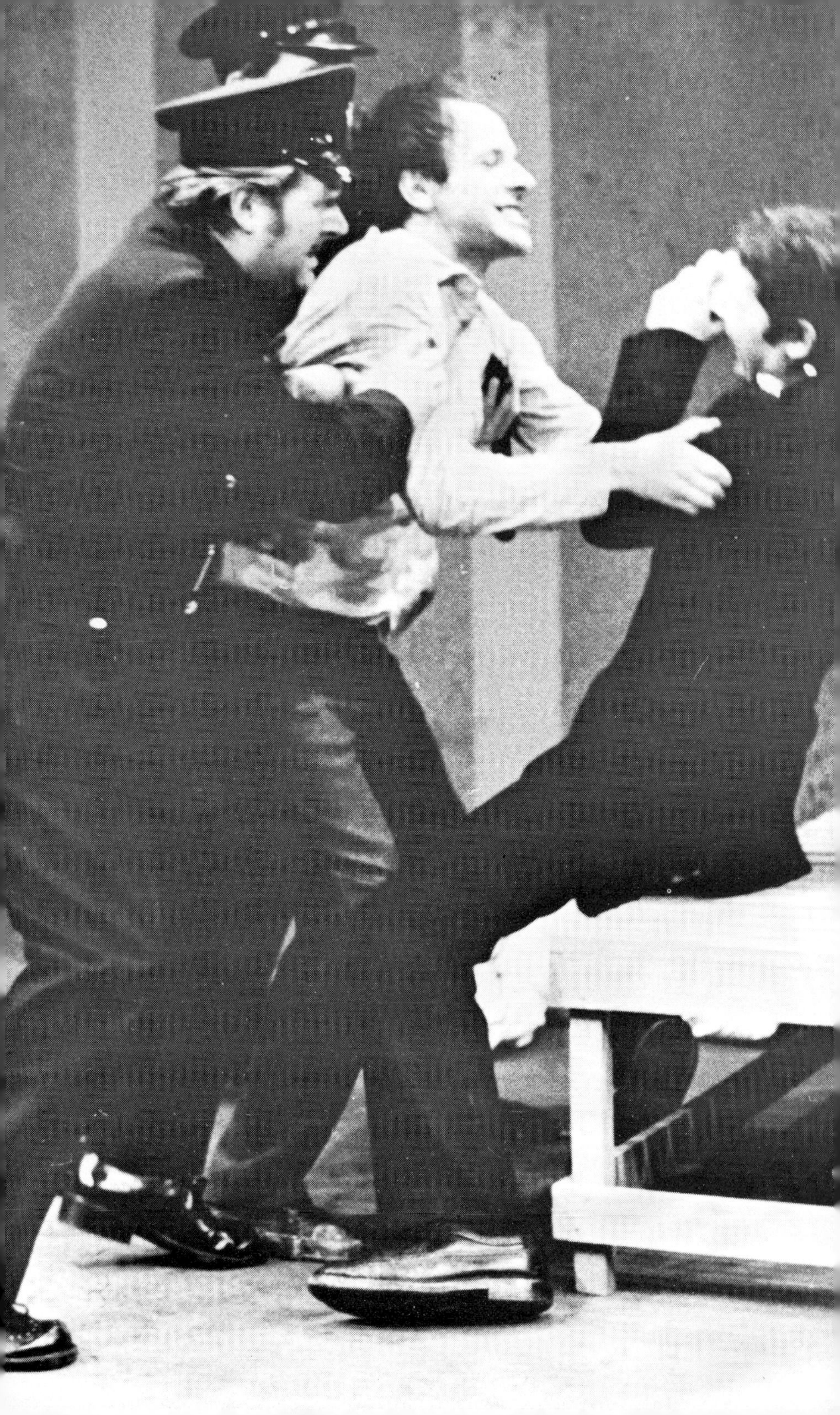

JOHNSTONE   Aye.

BYRNE   Any family?

JOHNSTONE   A boy and a girl.

BYRNE   Good fur you!

CAROLE   Wull you stoap talking tae that swine an tell me whit this is aw aboot?

BYRNE   Whit? Oh, ur you still here? Awright, ah'll tell yae. Now listen carefully fur wance in yir life. This is important. Its aboot ma Appeal.

CAROLE   Oh, is that aw.

BYRNE   Whit dae yae mean "is that aw"?

CAROLE   Well, Lewis hus telt me aw aboot it.

BYRNE   Lewis doesnae huv enything tae dae wae it anymore.

CAROLE   Huv yae changed yir lawyer?

BYRNE   Aye.

CAROLE   Who huv yae goat? Franchetti?

BYRNE   That balloon. You must be jokin.

CAROLE   Who then?

BYRNE   Maself.

CAROLE   You? Since when did you become a lawyer?

BYRNE   *Sits back and regards her with disgust.* Look ut yae, ya stupit wee whore. Of course ah'm no a lawyer, fur fuck sake. Ah'm no pretendin tae be a lawyer, but can you no understand anything? Do you no understand anything at all? No even aboot me?

This is ma life ah'm fighting fur. You've hud a wean tae me an ah wahnt tae see it. No in here. Ah'm glad you didnae bring it in here. Because ah don't wahnt it tae see its faither in a place like this.

CAROLE   It happens to be a she.

BYRNE   Ah thoat a telt you tae listen.

CAROLE   Awright, ah'm listening.

BYRNE   OK. This is ma life ah'm fightin fur and nobody can fight fur ma life except me maself. But ah'm gonnae need new witnesses and ah wahnt you tae talk tae a few people fur me. Do you understand that?

CAROLE   Which people?

BYRNE   *Hesitates. Speaks to* JOHNSTONE. Could you stoap up yir ears fur a minit, Johnstone?

JOHNSTONE   Ah'm afraid the time's up, Johnny.

BYRNE   Aye but we've goat drinkin up time. *Returns to* CAROLE Go doon tae the pub and talk tae the Big Yin.

CAROLE   Wullie?

D

BYRNE   Aye! An' tell him tae talk tae that mob in Shamrock Street an tell thaim ah'll be wahntin tae see thaim up here.

CAROLE   Who do you mean in Shamrock Street?

BYRNE   Never mind that. Just tell him. He'll know whit ahm talking aboot.

JOHNSTONE   Awright, that's the time.

CAROLE   *Annoyed at* JOHNSTONE. Och, awright. Ah'm just goin.

BYRNE   Come here. *She goes to him.* Dae's a favour Johnstone an close yir eyes a wee minit.

They kiss

Noo don't you furget that. And next time bring the wean in so that ah can see it.

Enter MOCHAN.

MOCHAN   The course of young love never runs smooth. Aye, well he's making a big mistake handling that Appeal himsel. They'll no like that. There was only one man ah ever knew that managed to really speak the truth in a Court of Law and that wus an old wino ah knew. A right old down-and-outer, reeling aboot in the streets wae a three-week stubble oan his chin an stoapin people fur the price of a cup o tea. An niver even goat tae know his name. But ah saw his grand finale in the Sheriff Court in Glasgow wan day, when he goat tae his feet swayed fae side tae side straightened himsel up took a deep breath an made a speech oan his own behalf. This wus him:

Today ah wish tae apologise. Ah wish tae apologise tae ma wife fur the terrible life ah gied hur tae ma children—who no longer want to speak to me—fur aw they hud tae go without because of their father—tae aw the people—doctors and police social workers and ministers of religion—who tried tae give me help only tae huv the help thrown back in their face and most of all—most of all, he said, and he swayed a wee bit—most of all ah want tae apologise tae this Court in its Mercy fur the many times ah spurned its Clemency. Ah apologise!

The whole Court was stunned intae silence. And the Sheriff leaned forward and said, "Is there anything you would like to add?" And the old fella looked up and he smiled and he opened out his arms and he closed his eyes tilted back his head, and this is whit he said: *Sings*

50

I left my heart
In San Francisco . . .

BYRNE   Your Worship, Ladies and Gentlemen of the Jury, and all the
rest of you wankers out there, here ah ahm, the animal, wae a great
big lawbook in ma hand an thinking.

The animal is thinking. He's beginning tae figure it out. Whit yir legal
racket's aw about, he's sussed it.

So ah thoat ah wus a fly-boy. Ah thoat ah wus hard. But you loat take
the biscuit. Yae beat the band. You've goat the biggest racket of aw
and you're the coolest customers because you're legal—and ahm no?

Ah huvnae done any more than the rest o you ur daein every livin day
o your free lifes, you're just a bit mair lang-distance aboot it, yae've
goat a wee bit finesse—but everything you've goat depends oan
thievin and killin o one kind or another—the only difference is that
you make the Laws!

But remember this, the animal is thinking.

MOCHAN *has been standing, leaning on his brush and watching* BYRNE
throughout the speech.

MOCHAN   Oh, my Goad, son, yir like a wild stallion wae a man oan its
back. Why don't yae just give up an' gie yirsel peace? Yir an awfae
hard man.

To audience   But he was never hard enough because he couldnae keep
control o himself. He suffered frae frustration. He hud aw this energy
bilin up inside him an he couldnae get it oot. So there would always
come a moment when he wid snap an it wid come oot o him like a
torrent. An that wus his undoin. Fur aw that he wus thinkin, he felt
too much, an' he let his feelins run away wae him.

It wus because o that he never actually goat tae make his appeal as
you'll see in a minit. The famous story ah'm sure you've never heard
aboot—"Johnny Byrne Meets the Commando" better unknown as
brawn beats its brains oot agen—

Exits with brush

Attention returns to BYRNE

Enter Second Prison Officer, RENFREW, *closely followed by* The Commando *who is Assistant Governor of the prison*

RENFREW   OK, Byrne. Oan yir feet. The Assistant Governor's here tae see yae.

BYRNE   The Assistant Governor. What's he wanting?

RENFREW   Don't be impudent. Get on your feet.

BYRNE   Just a minute. Who do you think you're talking to?

COMMANDO   OK, Renfrew, outside. I'll deal with this alone.

RENFREW   Are you sure, sir?

RENFREW   I'll be right outside, sir.

BYRNE   Yes, sir. No, sir. Three bags full, sir.

COMMANDO   You wanted to see me, Byrne.

BYRNE   Ah don't, what gives you that impression. I could think o nicer sights.

COMMANDO   Don't smart-talk me, Byrne. You've been demanding to see someone for the last ten days.

BYRNE   Aye, that's right. Ah think it wis ten days. Might huv been eleven. Ah'm no sure. You lose track of time in this place. You know whit ah mean? Aye but ah think you're right, now that you come to mention it ah huv been asking tae see someone, but ah widnae huv said ah wus *demanding* anything, and ah don't think the person ah wus asking tae see is you. Ah wanted tae see the guvnor, no his assistant. And by the way, ah'll smart-talk you anytime ah like.

COMMANDO   How dare you, Byrne. I won't have talk like this in my prison.

BYRNE   Oh, it's your prison, is it? Ah wus beginnin tae wunder who owned it. Ah knew it certainly didnae belang tae me. Ah wid huv arranged the furniture different.

COMMANDO   You can make things worse for yourself, you know.

BYRNE   No much worse, surely.

COMMANDO   Yes, but you can make things easy for yourself or you can make them hard, depending on how you behave.

BYRNE   Ha! Ha! That's funny. That's . . . that's 'rich', as they say, me behave maself ah'm no capable of behavin maself can you people no understand that? Oh, you're a joke so yae ur, comin intae me daein a lifer and telling me tae behave maself. You behave yourself. Awright, so if you've been sent doon tae talk tae the animal yae might as well talk tae the animal. The animal is hoping you have to discuss the witnesses fur its Appeal.

COMMANDO No, I haven't come here to discuss. I've come here to tell you something. There's nothing to discuss.

BYRNE Oh? And what is there to tell me?

COMMANDO You're not going to be allowed to interview the witnesses. Not in this prison. If you want to have witnesses interviewed, you'll have to get a Lawyer to do it for you.

BYRNE But I'm handling my Appeal myself. I'm entitled to interview witnesses to prepare my case.

COMMANDO Not if I think there might be a security risk involved.

BYRNE What?

COMMANDO I think you heard what I said.

BYRNE Aye. Ah heard you awright. Ah just couldnae believe what ah wus hearing. Ah don't think you know this, china, but ah know you. You're the wan thae call the Commando. That's the wurd you like tae put aboot this place—that yir wan o the real dirty squad that fought against old Adolf. The Commando. Aye, yir reputations preceded yae.

COMMANDO And I've dealt with harder men than you, Byrne.

BYRNE Maybe you have. Maybe yae huvnae.

COMMANDO But thae never had so much to say for themselves as you seem to have.

BYRNE You'll have to excuse me. You know, it must've been that life imprisonment sentence the judge passed oan me, it must have give me a shock or something but a strange thing has happened since ah came in here—ah've started thinking. And now that ah've started, ah just cannae seem tae stop. And wan o the things ah've been thinking, it's a funny thing this but I don't really think you think there's a security risk involved at all, you don't seriously think ah wid try tae escape, dae yae? Naw. You're just withholding ma witnesses frae me because *Grabs hold of him* you're so ... fucking ... vindictive!

COMMANDO You let go of me, Byrne.

BYRNE Naw. Ah'm no letting go o you until you tell me ah'm getting your signature on that piece of paper that ah need!

He is holding THE COMMANDO *with one hand and forming up the other into a clenched fist under his face.* THE COMMANDO *speaks nervously over his shoulder.*

COMMANDO   Renfrew?

BYRNE *finally loses patience and smashes him in the face, snarling with disgust.*

COMMANDO   Officer! Officer! Come quickly!

BYRNE *has let go of him and is laughing happily at the sight of* THE COMMANDO *lying on the floor.* RENFREW *and* JOHNSTONE *run in. They grab* BYRNE *from behind, one on either arm,* BYRNE *is still laughing happily.* THE COMMANDO *gets up and straightens himself out.*

COMMANDO   You'll hear more of this, Byrne.

BYRNE *is still laughing. This next bit is fast. He breaks in mid-laugh and suddenly he is serious, concentrated. Then he swings up, using the grip of the screws as a lever, taking both feet off the ground and kicking him hard in the groin.* THE COMMANDO *keels over. Grunting with the pain.* RENFREW *leaves go of his grip on* BYRNE *and goes to* COMMANDO's *assistance.* BYRNE *has relaxed.* JOHNSTONE *keeps a grip on his arm but perhaps it is not so intense as it was a moment before. As* RENFREW *speaks to* JOHNSTONE, *he is bundling* THE COMMANDO *out of the Cell.*

RENFREW   Ah think you'd better lock him up. Ah seem tae remember he's a pal o yours.

JOHNSTONE *locks cell door.* BYRNE *shouts through it, laughing, his hands up at his mouth—cupped.*

BYRNE   *Shouting.* SOME FUCKIN COMMANDO!
His laughter dies away and he is sobbing and gasping. He is desperate and sad. He escapes down the door with his hands, the side of his face pressed against it. He lies on the floor silent, his face resting forehead-down on his arm.

Percussion

MOCHAN   That wus just before ah met up wae him. That wus the beginning o the end wae Byrne and prison. Or maybe you should say the beginning of the ending because it husnae ended yet. Anyway, a strange thing happened in a Glasgow Court following the events just seen. The charge was read out that the accused, John Byrne, had, on such-and-such a day, assaulted a senior prison officer. That wus awright. Nothin unexpected aboot that. Whit wis strange wus the next bit. His lawyer gets up and says:

In behind MOCHAN *and* LEWIS' *speeches,* BYRNE *is set upon by* RENFREW *and* JOHNSTONE *who force him, struggling, into a straight-jacket. Both men are hitting him with batons. Eventually they have him in strait-jacket.* RENFREW *continues hitting him long after might be considered necessary.* JOHNSTONE *restrains him.* BYRNE *is left lying on the stage. The strait-jacket is saturated in blood.*

LEWIS   I am unable to defend my client on this charge because I have not been able to find him. When I went to the prison to prepare his defence, I was told he had been taken away but no-one would tell me where ...

Exit LEWIS.

MOCHAN   Ah knew where he wus and ah saw the state he came in. He wus in Peterheid and he wus in the solitary block where ah used tae dae some o ma sweeping. And that wus where the real troubles started. Because, among other things, that's where he met a big screw called Paisley. Ah'll tell yae mair aboot him later an ye'll see a wee bit fur yirsel.

BYRNE *is on stage in strait-jacket. He struggles to get out of it. At first there is percussion. Then there is only his voice as a stab against the silence.*

BYRNE   Fuck! Fuck! Fuck! Fuck You!
    Fuck You, You Bastards.
    Fuck You Fuck You Fuck You.

*The percussion answers the rhythm. Builds to a crescendo when he
bursts the strait-jacket. Then he is on his knees facing the audience. He
opens out his arms and roars. He falls slowly backwards, arching
himself in a yoga asana. The back of his head (nape of neck) and his heels
(soles) touch the floor, but his back is arched between them. What do his
arms do? Please see, I. S. Iyengar's "Light on Yoga" for further details.
Gradually this can be relaxed.* MOCHAN *approaches and looks in at him.*
BYRNE *is flat on his back.*

MOCHAN   Johnny Byrne!

BYRNE   Who's there?

MOCHAN   It's Michael Mochan.

BYRNE   Hello there, Michael. Nice tae meet yae. Ah've heard a loat
aboot yae. How ur yae daein old-timer?

MOCHAN   Ah'm daein fine. An' what aboot yirsel? An' less o the old-
timer.

BYRNE   Ah'm awright. At least ah'm here. Ah've arrived. But it wus a
rough journey getting here. Ah think ah'm suffering fae screw-lag. Wid
yae mind just telling me where ah ahm?

MOCHAN   Christ, dae yae no even know that? Did they no even tell ye
where they were taking yae? You're in Peterheid. Solitary detention
wing. Yir no allowed any visitors ur nuthin, so ye'll huv tae make the
best o me. Ah'm the only conversation yir gonnae get in here that
isnae a crack in the heid. Ah hear yae burst yir straight-jacket.

BYRNE   Ach, it wus weakened. It wus ma ain blood that weakened it.
It wus saturated.

MOCHAN   They must huv gied yae some goins over. Wus that done
before yae goat here or wus some o it done after?

BYRNE   Some ae it wus here. There's a big bastard aroon here an he wus
knockin fuck oot o me. Ah hud tae crack him oan the jaw.

MOCHAN   Did he huv a moustache?

BYRNE   He might huv hud. Ah wusnae really hoping ah'd ever huv tae
identify the bastard agen. Aye, but a think he did.

MOCHAN   That sounds like him.

BYRNE   Who in particular?

MOCHAN   Paisley. Some o us caw him the Reverend because he hates
aw Catholics. Wae a name like yours, your a gonner. He's a sadistic
big bastard. And there's been several cases of brutalisation in this
prison because o him in the last two months.

56

BYRNE   Aye. Well ah'm gonnae get tae the governor aboot him.

MOCHAN   He's been had up two or three times but he always gets away wae it. The last time it was fur buggering two of the young prisoners. Everybody knew he'd done it, including his own lawyer, and when he got him off wae it, he wus sick. The lawyer was sick. So there you are, even his own lawyer.

BYRNE   Aye, well let him come for me. I'll be ready for him.

MOCHAN   Did you say you'd cracked his jaw?

BYRNE   That's right.

MOCHAN   Well, don't you worry. He'll be coming for you alright.

Drums. A march. Enter PAISLEY, JOHNSTONE *and* RENFREW. *They face straight on to the audience.* PAISLEY *is one step in front of the other two who form the tips of a triangle behind him. He speaks direct to the audience.*

PAISLEY   I'm Paisley. I'm the one. The bad screw. The one who brings disrepute on all his hard-working colleagues who are making the best of a very tough job. I'm the sadist. The one that's got too much of a taste for the sight of blood. That's what they say. I know it only too well. The prisoners don't like me because they know I don't mess about. I believe in discipline and I believe in using hard methods to tame hard men. And the other   *Pause*   screws don't like me because they know I'm the one that does the dirty work for them.

They know what this prison would be like if we didn't get tough from time to time. They don't want to walk in fear of their life from day to day when they're going about their job, any more than you would. So they tolerate me. I'm *their* hard man. And they feel a wee bit guilty about me because I'm an aspect of themselves they don't like to admit to. Just like you should be feeling guilty about us because we're the garbage disposal squad for the social sewage system. You people out there, that's the way it works for you—you've got a crime problem so you just flush it away one thug after another in behind bars and safely locked away. The cistern's clanked and you can think you can leave it floating away from you to the depths of the sea. Well, ah've goat news fur you—its pollution. Yir gonnae huv tae look ut it. Because if yae don't, wun day its gonnae destroy yae. But in the meantime, dirties like me, well, lets just say we're a necessary evil. Very necessary.

57

BYRNE and MOCHAN *Together* Screws! Screws!

*On the chant of "Screws Screws" the drums start their march again. The
Three* SCREWS *march over to* BYRNE's *cell. Drums stop when they are
ranged around* BYRNE. *Important that* MOCHAN *observes all that is
happening.*

PAISLEY OK, Byrne. On your feet. You're going for a wee walk.

BYRNE Where are you taking me?

PAISLEY For a wash. You stink.

BYRNE It doesnae take three of you to take me for a wash.

JOHNSTONE Come on, Johnny, it's OK.

BYRNE Johnstone! Ur you followin me or somethin?

RENFREW Come on. Get these on. *Puts on handcuffs.* We'll decide on
staffing in this prison, no you.

BYRNE *To Paisley.* Could ah no be handcuffed tae somebody else? This
guy's breath stinks. Ah'm sure you'd be much nicer.

PAISLEY Cumon, Byrne, get going and keep the mouth shut. You're
going to have plenty of chance tae talk. We've goat one or two
questions to ask you.

BYRNE Wait a minute. What's all this about? I might've known you lot
wouldnae give a fuck supposin ah never washed fae wan year tae the
next.

PAISLEY *Pushing him.* Cumon, get moving.

BYRNE Watch it! Paisley. On second thoughts, you stink more than he
does.

PAISLEY *threatens him.*

BYRNE That's right, ya coward. Ah know all about you. You used tae
be a hitman fur the moneylender doon the docks. Did yir 'colleagues'
know that?

PAISLEY *hits him.* BYRNE *spits at* PAISLEY. PAISLEY *enraged.* JOHNSTONE
restrains him.

JOHNSTONE Take it easy.

PAISLEY Cumon, move him.

*Drums. They move Byrne out of cell towards a sink which represents the
washroom. As they cross stage to it,* BYRNE *is tugging and pulling at the*

58

handcuff which attaches him to RENFREW. *The effect should be comic.*
MOCHAN *follows them across and watches from a concealed position.*

PAISLEY   OK, Byrne. Get in there.
BYRNE   Ah'm no going in there. No wae the three o you and no witnesses.

MOCHAN *makes a thumbs-up sign to the audience to let them know he is keeping an eye on things.*

PAISLEY   *Pushing him roughly* Get in!
RENFREW   *Who has been pulled off balance by* PAISLEY'S *pushing* Hey, go easy!
BYRNE   *Now in wash area.* Aye, you heard whit the man said.
PAISLEY   OK, Byrne. We're taking the handcuffs off, but no funny business. There's a sinkful of water for you tae wash yourself.

The handcuffs are removed. BYRNE *looks at them all as if he might start some trouble but then he turns away laughing scornfully, as if he has decided they are not worth the effort. He sits down at the sink and enjoys the water.*

BYRNE   Oh, this is rerr. Ah suppose you thoat animals like me wouldnae like water. Did yae bring thc DDT powder too?
PAISLEY   Give him the towel.

JOHNSTONE *gives him a towel which* BYRNE *takes reluctantly.*

BYRNE   Is that aw the wash ah'm gonnae get? Fur fuck's sake, ah never even goat time tae dae behind ma ears. Whit aboot a shave. Surely youse can run as far as a shave. Or is shaving forbidden too?
PAISLEY   You're damn right its forbidden. We know what you do wae a razor,Byrne. Dry yourself off. Ah've goat some questions tae ask yae.
BYRNE   Oh ho! This is when we find out what its all about, eh? *Dries his face.* OK, fire away. Paisley. I'm intrigued. *Aside to* RENFREW, *quickly.* You didnae think ah'd know a word like that, did yae, Renfrew?
PAISLEY   Stoap playing the innocent, Byrne. What's aw this aboot a prisoner's charter?

59

BYRNE   What? A prisoner's charter. Don't ask me, Ian, ah don't know anything aboot anything as intelligent as that. Ah'm an animal.

PAISLEY   We've found a copy of it in the main block and we know you're behind it. There's been nothing but trouble since you were brought here.

BYRNE   What does it say?

PAISLEY   You know fucking well what it says. A more humane system and investigations . . . investigations of brutality in this prison. . .

BYRNE   That sounds like interesting reading. Ah wouldnae mind a copy o that if yae can spare wan.

PAISLEY   *Threatening* Don't mess with me, Byrne. What's going oan? You'd better tell us or its more than your life's worth.

BYRNE   *Thinks about it* Ah'm tellin you nothing.

PAISLEY   Awright! Give him a duckin.

They force BYRNE's *head under water. He struggles throughout.*

JOHNSTONE   Will we bring him up?

PAISLEY   Naw. Keep him down a minute longer. We'll make him talk. Don't you worry.

JOHNSTONE   We'd better be careful.

PAISLEY   Listen, son. Don't you try tae tell me. How long huv you been in the prison service?

JOHNSTONE   Two years.

PAISLEY   Aye, well ah'm comin up fur ten years. So you just keep yir mouth shut. *Pause* OK. Let him up . . .

BYRNE *is released from the water. He shakes his head about and starts shouting as he does so, struggling with* RENFREW *and* JOHNSTONE.

BYRNE   Fuck you, you homosexual bastard, Paisley, and fuck King Billy!

PAISLEY   OK. Give him another ducking.
They hesitate.
Go on, do it. *They do.* Fur fuck sake, do you see whit he's like. Kindness'll get you nowhere wae that yin. OK. Bring him up again.

BYRNE   Fuck!

PAISLEY   Awright, Byrne. You'd better start talking or you'll go under a third time and this time you won't come back up.

BYRNE *looks up at him slowly, thinking things over.*

BYRNE   Awright. So what is it you want to know?
PAISLEY   There's something being planned. Some kind of unrest among
  the men.
BYRNE   That's right.
PAISLEY   What is it?
BYRNE   They're gonnae cut your balls off.

PAISLEY *hits him.*

They're gonnae cut your balls off an' then they're gonnae serve thaim
  up tae the governor oan toast.
PAISLEY   OK. Put him under again. And this time . . . *they have his
  head under water.* This time . . .don't bother . . . tae bring him up!

*In darkness, noise of prison riot begins. Men's voices shouting. Various
sounds emerge clearly from it. "Up on the Roof". Perhaps the Prisoner's
Charter is read out at this point. Last sound to emerge across the crowd
noise is a voice through a public address hailer:*

"If you come down peacefully, with no trouble, there will be no
recriminations . . . I repeat that . . . no recriminations if you come
down peacefully . . ."

BYRNE *is lying on his bunk.* MOCHAN *speaks through to him excitedly.*

MOCHAN   Johnny, waken up. Quick. There's a riot. The men ur up oan
  the roof an the press and television's here an everything . . .
BYRNE   *Groggy* What?
MOCHAN   They're demanding an investigation into prison brutality . . .
  Oh, ur you awright. Christ, ah thoat they wur gonnae go the whole
  way wae yae that time, Johnny. If Paisley hud hud his way, they wid
  have, but Johnstone chickened oot o it.
BYRNE   Ah must ah blacked out.
MOCHAN   You're lucky yir lungs didnae burst.

Sound of loudhailer in distance.

BYRNE   What's that?

MOCHAN   They're bringing them down. They've been telt that if they come doon peacefully there'll be no recriminations against the ringleaders.

BYRNE   Thank Christ fur that. They think ah'm the masterplanner. Masturbator's more fucking like it. Shower o wankers!

MOCHAN   Sssh! Listen!

Man howling in the distance.

MOCHAN   It sounds as if they're bringing thaim up here to the solitary wing.

BYRNE   Aye, and that doesnae sound much like "no recriminations". *Man's voice shouting louder.* "They're kicking me, boys. Leave me alane. Ah hud nothin tae dae wae it".

BYRNE   So much fur reason. So much fur the peaceful approach. Bastards!

MOCHAN and BYRNE   *Together. Banging and making as much noise as possible* Bastards! Bastards! Bastards! Bastards!

Percussion. The March again. Screws enter to BYRNE. BYRNE *immediately on the ready for a fight.*

PAISLEY   You've been creating a bit of a din doon here, Byrne. Did yae think we wouldnae hear you?

BYRNE   Ah wahntit yae tae hear me because ah could hear whit you were up tae ya dirty swine. You're a pig. A disgusting Protestant pig.

RENFREW   Look at him, the animal, ready fur anuther fight.

BYRNE   That's right, crabcrutch, ah'm ready fur you enytime.

They pull their batons.

BYRNE   Oh, its the big sticks, is it? Gie me wan and ah'll ram it up yir arse.

JOHNSTONE   Don't make things worse fur yourself, Johnny.

BYRNE   Aw, cumon, less o the old pals act wae that thing in yir haun. Whit's the matter wae you loat enyway? Wull your old ladies no let yae get it in anymore? Is this how yae ease yir frustrations?

62

PAISLEY *To others* Haud him. *They grab hold of* BYRNE. PAISLEY *speaks to him with the baton held back, viciously ready for action.* I'm going to enjoy this, Byrne. Aye, you're right. It is frustration. There's been a loat o faces ah've wahntit tae punch and couldnae an' a loat of skulls ah've wahntit tae crack—and couldnae. But wae you ah've got a perfect excuse tae let it aw come out . . .

BYRNE *kicks him and at the same time jumps on* RENFREW. *He jabs his fingers repeatedly in* RENFREW's *eye, finally getting a hold on the eye, straining as if to gouge it out. He is pulled off by* JOHNSTONE *and* PAISLEY *beats him about the head with his baton.* RENFREW *lies howling on the floor, his hand over his injured eye.*

RENFREW   Ma eye! Ma eye! What's he done tae ma eye!

PAISLEY   Aw shut up. You'll survive. *Kicks* BYRNE *who is unconscious* And so will he. Worst luck. Ah think he'll need tae go tae a special place. A very special place.

JOHNSTONE   *He is helping* RENFREW. Listen, Paisley, there's bound to be an inquiry about this. Renfrew's injured.

PAISLEY   Yes. You're quite right, Johnstone. There probably will be an inquiry. But that's no gonnae bother us, is it? No unless you start getting loose wae yir tongue.

JOHNSTONE   But they'll see the marks on his head.

PAISLEY   That's because he fell on the floor, whilst attacking a prison officer, isn't it? You saw it with your own eyes. You did see it, didn't you?

JOHNSTONE   . . . Fell on the floor . . . They'll never accept that.

PAISLEY   They've accepted it before. Plenty o times. Come on. We'd better get this yin tae a doctor. *To audience.* Listen, if you excuse him *indicates* BYRNE on the grounds that he's a product of this shit-heap system, then you'd better excuse me on the same grounds.

Drums. They exit.

BYRNE *stands up slowly, composes himself, and walks out of cell towards audience. Before he speaks he smiles. He begins his speech by mimicking the upperclass tones of a Judge.*

BYRNE   Ladies and Gentlemen of the Jury. In this trial, as in all criminal
trials, the Judge and the Jury have different tasks. Your task is, at the
end of the day, to bring in a verdict on the Charge on the Indictment
before you. *Own voice* The trial wus a farce. Old Mochan got up and
did his bit, right enough. He stuck his neck right out and told them the
whole story—detail by detail, as he had seen it wae his own eyes. It
wus obvious he was telling the truth but that didnae make much
difference. *Smiles again. Judge's voice* You must make up your minds
on the credibility and reliability of the evidence you have heard. The
matter of the verdict, credibility and reliability, which facts are
proved, and which not, are matters for you alone . . .

BYRNE *smiles. Next part is done with off-stage voices*

VOICES   What is your verdict?
The verdict is Guilty.
Is that verdict unanimous or by a majority?
It is by a majority.
BYRNE   My lawyer passed me a note. It said "You didn't stand a chance.
It was either you or three married men. They didn't dare do
otherwise." After that I went on yet another journey.

Enter three SCREWS. *They lay hands on* BYRNE, *handcuffing him. They
push him into centre stage and begin to construct the cage around
him.* PAISLEY *punctuates the making of the cage with the speech of the
prosecuting advocate, which he delivers with great relish.*
PAISLEY   My Lord, I move for sentence. The Accused is 24 years of age
and I produce a Schedule of previous convictions, and your Lordship
will see that there have been *fifteen* previous convictions dating from
when the accused was a juvenile. The initial convictions are of
offences of dishonesty. In particular, in 1963, he was sentenced to two
years imprisonment for assault to severe injury and assault by
stabbing . . . February 1963, sentenced to imprisonment for
assaulting the police and attempting to resist arrest. Two years
imprisonment in 1965 for assault and again in October 1965. 1967
sentenced to life imprisonment for murder. 1968 another 18 months
for assaulting the assistant governor of one of Her Majesty's prisons,
and now, here's a wee bit more for you. Tell him, Renfrew!

64

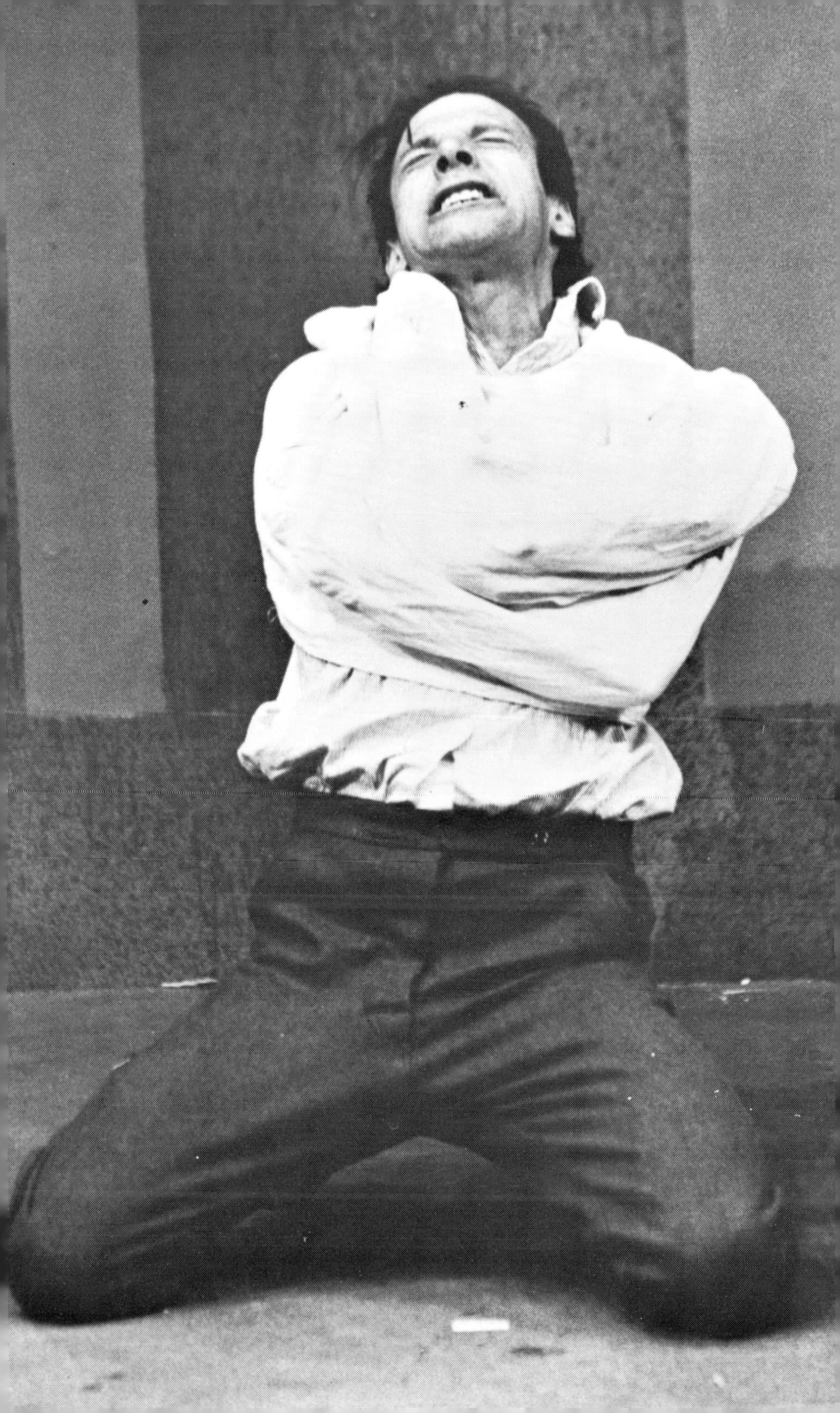

RENFREW   *Also taking off Judge* John Byrne. You have a deplorable record and you are now serving a sentence of life imprisonment for murder. *Loud send-up "tut tuts" from* PAISLEY *and* RENFREW I cannot emphasise too much that if you are to serve your sentence of imprisonment in such a way as to obtain some remission, you must behave yourself. PAISLEY *and* RENFREW *nod sagely at this.*

PAISLEY   Did you hear that, Johnny? Behave yourself.

RENFREW   The sentence I am about to pronounce will have some effect—*laughing in his own voice* you bet your fucking life it'll have some effect—*Judge's voice again* some effect in that it will be taken into consideration if and when you are released,when the time comes for consideration *own voice* but only consideration—of your release. I now sentence you to ha ha ha four years' imprisonment.

PAISLEY   Hear that, Johnny? Another four years on top of what you've already got. If you ever get out of here, it will be in your coffin. See you later!

Exit SCREWS.

MOCHAN   John Byrne, you've gone beyond the physical wae these people. Its no your body they're trying tae break—its yir proud spirit, because that's what they really fear.

Exit MOCHAN.

Percussion, very quiet and twitchy, behind next sequence. Fluorescent light comes on. It hurts BYRNE's *eyes, his head. He tries to stretch up towards it. Fails. Each time he fails another light comes on. He tries to climb up the bars. Fails. Another light. He crouches, concentrates, prepares to spring. Leaps up, hands stretched out towards light. Falls back on to floor. Another light goes on. Sits with his hands over his eyes. Enter* RENFREW.

RENFREW   What's this animal? Going to sleep? Sleeping's not allowed, especially not during the day. Yes, its during the day, animal. I'll bet that surprised you. Never mind. Its nice and bright in here anyway. Isn't it? Look, ah've brought a bit of food for you.

BYRNE *takes his hands from his eyes and looks at food.*

E

RENFREW   Hungry, are we, animal? Well, there you are.

Puts plate down outside of bars. BYRNE *tries to reach it with his arm but it is too far away from him.*

RENFREW   Oh, sorry. Can you not reach that? Wait and I'll move a wee
   bit closer for you.

Picks up plate and spits in food. Puts it down within BYRNES *reach.*
BYRNE *looks at* RENFREW, *looks back to food. Stretches his arm
out slowly through the bars, staring at* RENFREW *who moves back a little.
Still staring at him he begins to eat the food—very deliberately—with
his fingers.*

BYRNE   You think you're going to break me, don't you?
RENFREW   *Indicating patch on his eye* Well, you're not exactly my
   favourite person, Byrne, you could say that.
BYRNE   Well, I've got news for you. I've got something in me that can't
   be broken, not by you nor by anybody else—no matter what you do to
   me.
RENFREW   Is that a challenge?
BYRNE   You don't need any challenging. You're going to try it anyway.
   And your food tastes like fucking sawdust. *He throws it out through
   the bars.*

RENFREW *stands up.*

RENFREW   Right, Byrne. That's just what I was waiting for. Paisley!
   Johnstone! *They enter.*
PAISLEY   What is it?
RENFREW   Look at the mess this animal's made. He's getting aggressive
   again.
PAISLEY   Oh well. We'll need to do something about that, won't we?
   Haud yir noses, boys, we're going into his smelly cage . . .

SCREWS *enter cage While* PAISLEY *is talking,* JOHNSTONE *searches with his
hands along top edge of Cage.* RENFREW *holds his nose and looks under
chamber pot.*

66

PAISLEY   So how do you like your new quarters, Byrne? This is the Cage
   and you're in Inverness. Lovely part of the world, Inverness. Too bad
   yae cannae get tae see any of it. Aye, yir nice and secure, Byrne.
   There's these bars, then there's the four walls round the bars—solid
   concrete. Then there's us . . . Awright, get your clothes off.
BYRNE   What is this?
PAISLEY   Get them off or we'll tear them off you.
BYRNE   Come on and try.
JOHNSTONE   We need to search you, Byrne. Official procedure.
BYRNE   Official procedure, my arse. *Pointing at Paisley* It was that
   bastard's idea.

Starts taking his clothes off, angrily. When he has stripped BYRNE *places
his hands as a shield for his genitals.*

PAISLEY   OK, search them too. *Referring to clothes.* Right, Byrne.
   Stand against the wall. Oh, look at him. Frightened somebody's
   gonnae manhandle you, ur yae? Don't worry, we don't want tae know
   about your disgusting body. Stand against the wall.

   OK Renfrew. Search him. Spread your legs, Byrne.

RENFREW *searches him, looking under his armpits, between his toes,
finally probing his rectum.* BYRNE *reacts violently to this.* RENFREW *gets
away from him fast.*

PAISLEY   Oh, look. He's sensitive.

BYRNE *is looking aggressive.*

PAISLEY   *As they leave the cage* Ah see you've goat that dangerous look
   again, Byrne. Well you can save it fur later. We're no quite ready fur
   that yet. But we'll be back. Oh aye and ah think we'd better take your
   clothes. You never know what mischief he might get tae wae them, do
   you lads?

Takes clothes. BYRNE *rushes at them but the cage is locked.*

PAISLEY   Too late, Byrne. Its too late for you for anything. Your time's
   up. You've become one of the living dead.

BYRNE   No. So long as I'm fighting, I know that I'm alive.
PAISLEY   Aye, well ah've telt yae—we'll be back. And we're gonnae
knock the fighting out of your system once and for all.

Drums. Exit SCREWS. PAISLEY *pauses*

PAISLEY   Cover yourself, you disgusting bastard.

BYRNE *makes V signs at* PAISLEY *who laughs. Drums continue. Scotland
the Brave.* SCREWS *exit. Starts to pace the interior of the cage. Jogs on the
spot. Jogs round the cage. Stops, overcome with weariness for a moment,
resting his head against his arm.*

*Begins again, doing press-ups and other exercises. Sits down and adopts
Yoga half-lotus posture. He feels the floor with the flat of his hand, then
runs his hands over the bare skin of his body.*

Enter CAROLE. *She stands looking into the Cage.*

CAROLE   Hello, Johnny.
BYRNE   *Putting his hand over his eyes. Turning his head away*   No! No!
CAROLE   Speak to me, Johnny.
BYRNE   *Fist clenched against his brow*   I've got to sleep. Got to sleep.
CAROLE   You can change things, you know, Johnny.
BYRNE   Shut up! Shut up you bloody ghost.

Exit CAROLE. *Enter* KELLY.

KELLY   Hiya, Johnny. Dae yae like ma scar? You gave me it, Johnny.
Remember?

Enter DIDI.

DIDI   Aye. Remember, Johnny? Yir Big Brass knew how tae treat yae
well. But ah think you've hud yir oats just wance too often.

Enter LEWIS.

LEWIS   There might be a loophole, Johnny, a legal loophole.

68

CAROLE   Five year six year seven year more.

DIDI   Eight Nine Ten Eleven Twelve Thirteen . . . Whit age ur you?

KELLY   They're knockin down the Gorbals. The old place will be gone by the time you get out. If you ever get out.

DIDI   If he ever gets out of here it'll be in his coffin.

Enter PAISLEY.

PAISLEY   Aye. And we'll make sure the lid is well screwed down.

All other characters freeze.

We've come fur yae animal. We've come tae break yae.

BYRNE *stands up.*

BYRNE   Come on then.

Enter JOHNSTONE *and* RENFREW.

BYRNE   Ah promise yae ah'll make it as unpleasant as possible. If yir gonnae break me, yir gonnae break yersels tae. *Laughs* Ah hud a dream under these bright lights, you know, that wis forty winks youse didnae know ah'd hud . . .

PAISLEY   *To others.* He's roon the twist. When ah came in he wus talking tae himself and staring like a lunatic.

BYRNE   Ah dreamt ah hud company. A wee fly, buzzing about the place. It came down and landed on ma arm and flew away again. So ah chased after it and ah caught it. Ah watched it buzzing in ma hand for a minit, then a dropt it intae that chanty there. Right intae aw the piss and shit that's all ah've goat left tae show fur ma life. And ah watched it struggle and swim about. Then ah spat oan it. It wus in real trouble then, flailing about. Ah said, Hello there, wee brother. Ah know exactly how you feel. And Ah watched it struggle towards a large lump of shit and crawl up on it for refuge. A moment later ah wus wakened by more of your banging and thumping. And ah could smell your stinking bodies and your smelly feet all the way through those concrete walls. Ah could hear you talking. Ah ran ma hands over ma body and it felt sharp and strong. Ah felt ma own skin and it amazed me.

Ah touched the floor. It was so alive, so *there*. Ah could feel every speck of dust. And when ah looked down, the dust was like jewels, when ah breathed, the air was like nectar. It was strange. Ah felt happy. Ah felt happier than I'd ever felt in my life before. Happy. And grateful. Grateful just to be standing here, breathing in the stinking air. Alive. And ah thought. If that shit could help the fly, it can help me too.

He cakes his body in shit from the chamberpot

So come on. Come on and get me.

Smears over his face

How much of it can you accept?

During this speech the SCREWS *have drawn out their batons. At the end of the speech they have their batons held up menacingly and* BYRNE *stands facing them. At the ready. The lights go down slowly. As they go down, the various characters exit slowly taking off their costumes. The words are delivered wearily and sadly as they exit.*

RENFREW Rats.
JOHNSTONE Rats aroon the back.
CAROLE Rats aroon the back an a wee dug.
PAISLEY Rats aroon the back an a wee dug that wus rerr ut breakin their necks.
RENFREW It kilt that many rats it goat a mention in the papers.
CAROLE It broke that many necks, it goat a medal fur it.
BYRNE *Lights are almost out.* My name is Byrne, Johnny Byrne. This is my version of my story.

70